岩　波　現　代　文　庫

哲おじさんと学くん

世の中では隠されている いちばん大切なことについて

永井　均
Hitoshi Nagai

学術 428

岩波書店

まえがき

本書の前半(第1話〜第40話)は、昨年(二〇一三年)五月一二日から今年(二〇一四年)二月九日まで『日本経済新聞』に連載された。後半(第41話〜第82話)は新たに書き下ろされた。

連載された前半部の本文には、ごく少数の微細な表現の修正を除いて、本質的な変更は加えられていない。ただし、各話の表題は新しく付け直した。連載時の表題は、新聞社の方でつけられていたため、概してポイントを外しており、内容を取り違えていることも少なくなかったからである(たとえば第21話には「悟じいさんが悟じいさんであるのは偶然か」というタイトルがつけられていたが、このタイトルが本文をどのように誤解しているか、本文を読んで即座に分かれば、あなたの本文の理解は正確であるといえる)。新たに書き下ろされた後半は、新聞の読者を意識しなくてよくなったので、少し専門的な議論を入れて、レベルを上げている(とりわけ第50話〜第60話辺りは、哲学史上の議論との関連づけが図られていて少々煩瑣なので、最初は細部まで理解できなくてもかまわない)。

全体として本書は、ひょっとするとタイトルから連想されるかもしれないような、子ども向きに水準を落とした哲学入門書の類ではない。対話体をとって、独自の哲学的問題を提示し、それをめぐる哲学的議論を展開した、純然たる哲学書であり、私のこれまでの議論を一歩進めたものである。すなわち、すでにある哲学の解説ではなく、ここで新たに哲学を実行しているその現場を示すための本である(過去の哲学者に言及している場合でも、読者の方々が漠然と持っているであろうイメージを説明の手がかりとして使っているにすぎない)。その意味で、専門的な哲学者にも(にこそ)ぜひ読んでもらいたいと思う。

というわけであるから、本書の議論を難しく感じる方がおられるかもしれないが、それはやむをえない。少なくともこのレベルまでの議論をしなければ(それを本当に細部まで理解するのでなければ)、何が問題であるのか、その真の意味を捉えることはできないからである。本文でしつこく論じられるように、これは全く単純な問題なのだが、即座に別の意味に読み替えられ、誤解される仕組みがそこに内在しているからである。その仕組みこそを正確に捉えなければならない。

話の展開の関係上、そうした主要な議論の流れから見れば枝葉の事柄に関して、余分な難解さが含まれている箇所がある。読んでもらった多くの学生諸君が理解できなかった一箇所に関してのみ、ここで解説しておきたい(この箇所は流れから見れば枝葉であっても、哲学的には重要な論法が含まれている)。

第25話で、学くんの「外見はともあれ、脳や神経のような内部構造まで人間と全く同じなのに意識だけない生き物なんて可能なの？」という質問に、哲おじさんはこう答えている。「もしそれが可能でないなら、脳や神経が特定の状態にあることと意識が存在することが同じことになってしまう。それらはともあれ違うことではあって、しかし現実には両者の間に必ず因果関係が働くのだと考えたければ、ゾンビは可能でなければならない」。

これはこういうことである。脳や神経が特定の状態にあることと意識が存在することがたまたま事実的に相関する(つまり因果関係が働いている)だけではなく、そもそも同じことを意味している(あるいはそもそもその二つが同じ事態を指している)ならば、ゾンビというものは想定することさえできないであろう。なぜなら、脳や神経が人間と同じ状態にあれば必然的に意識があることになるからである(なにしろその二つは同じことなのだから)。しかし実際にはそうではなく、それらは同じことを意味している(あるいは同じ事態を指している)わけではなく、別々のものの間に事実において因果関係が働いているにすぎない。だから、そうした事実的な関係が存在しない場合を想定することが可能でなければならない、つまりゾンビが可能でなければならないのだ。

ひとこと注意しておけば、これはゾンビが可能だと主張しているのではなく、可能であると主張される場合の論拠について述べている。だからもし反論したければ、ゾンビなど不可能だと主張することによってではなく、このような論拠によってはゾンビの可能性は主張できないと主張されることによってなされなければならない(このことを議論に「ひたりつく」という)。

このことと関連して、読み方の一般的注意を述べておきたい。手を替え品を替え同じ問題が繰り返されているので、まず何よりも、何が問題にされているのかをつかんで(一見似ている別の問題と混同しないようにして)いただきたい。個々の箇所の議論に対して、自分が予め持っている意見に基づいて反論してみても意味はない。それはいくらでもできるからである。そうではなく、まずは議論にひたりついて、その全体構造を完全につかむことが必要である。そのためにはまず、最後まで、そして一言一句もゆるがせにせずに、読み通す必要がある。全体としての論旨は、最後まで読み通さなければ分からないように書かれているからである。

私自身はここで論じられている問題の実在性と重要性に確信をもっているが、それを理解してくれる読者がどれくらいいるのかには確信がもてない。問題の重要性以前に、そもそも問題が存在することを理解してもらえるのに、まだかなり時間がかかるのかもしれない。ここで論じられている問題は、明々白々に実在する根源的な問題であるにもかかわらず、どういうわけかこれまでの人類の歴史においておそらくはただの一度も表立って論じられたことがないようなのである。私の論じ方には多くの改善の余地があるだろうが、問題提起の価値そのものは「侵しがたく決定的」であると確信している。

目次

まえがき

哲おじさんと学くん……1
——世の中では隠されているいちばん大切なことについて

第1話　僕が考えていることは人に理解してもらえない……2
第2話　なぜこんな「例外期間」が存在するのか……4
第3話　理性には公的な使い方と私的な使い方がある……6
第4話　しかし理性には超-公的な使い方もある……8

第5話　一人だけ異教徒の集団に紛れ込んでしまったみたい……10
第6話　気分に浸って想念を流し続けることは考えることではない……12
第7話　哲学には二種類の敵がいる……14
第8話　哲学は祈りを拒否する祈りである……16
第9話　本物の問題であると見なされること自体が嫌がられるような問題がある……18
第10話　問題を自分の悩みとしてではなく「あり方の謎」として捉える能力……20
第11話　なぜ「僕だから」では理由として通用しないのか……22
第12話　僕が問題にしたいことはいつももう終わってしまっている……24
第13話　今僕が問うていることと同じことはかつて一度も問われたことがない……26
第14話　それぞれの時における今と端的な今、それぞれの人における私と端的な私……28

第15話　あり方が逆になっている奴が一人だけいる……30
第16話　「〜にとって」成立する主観的事実は客観的な主観性である……32
第17話　言語の本質的な機能が本当は存在している事実を語れなくする……34
第18話　最も重要な事実は他人と共有できない……36
第19話　並在的世界像と特在的世界像……38
第20話　脳が意識を作り出す仕組みはみな同じなのに、なぜ一つだけ実際に感じられる意識が存在するのか……40
第21話　学という人が僕である必然性はない……42
第22話　この世界には学という人は存在するが僕というものは存在しない……44
第23話　他人はゾンビかもしれないという懐疑は我々の議論とは関係ない……46
第24話　学が二人に分裂して一方が僕だった場合……48

第25話　安倍首相が二人に分裂したら二人とも対等に本物の安倍首相である……50
第26話　なぜかさの自覚が不可欠……52
第27話　私と今はすべてがその中に入るという点で似ている……54
第28話　私界未分と今永未分……56
第29話　私の心は特徴によっては識別できない……58
第30話　口が体に付いていることで二つの世界像が架橋される……60
第31話　デカルトが言いたいことは決して言えない……62
第32話　最も見かけ上の存在こそが最も疑う余地なく存在する……64
第33話　言葉が出る口に体が固定しているという事実が「私」という語に意味を与える……66
第34話　誰だかは知らなくても「私」の意味は分かるように、いつだかは知らなくても「今」の意味は分かる……68

第35話 今とは私の今でしかなく、私とは今の私でしかない …… 70
第36話 私を単なる一個人として世界から分化させ、今を単なる一時点として永遠から分化させる力 …… 72
第37話 記憶は過去の自分という同格の他者とのコミュニケーション …… 74
第38話 問われうるということのうちにその答えがすでに示されている問い …… 76
第39話 僕が悟じいさんになることと今が三〇年前に戻ること …… 78
第40話 今がただ今でだけなくなることと、私がただ私でだけなくなること …… 80
第41話 色即是空と空即是色 …… 82
第42話 驚くほど虚無的な教え …… 84
第43話 鎮痛剤を飲むのか覚醒剤をやめるのか …… 86
第44話 移動は痕跡を残さねばならない …… 88

第45話　時間の経過の二つの意味 …… 90
第46話　私や今がこれから移動するのではなく
もともとそうであったと想定する場合 …… 92
第47話　素っ裸でなくなってちゃんとした服を着ないと
客観的に実在できない …… 94
第48話　我々が論じているのは心と体の結びつきの問題ではない …… 96
第49話　そもそも存在しないものでも「絶対確実に」存在できる …… 100
第50話　デカルトの「私の存在証明」が他人に伝えられうるなら
「神の存在証明」だってできる …… 102
第51話　「神の存在証明」はできないから、
「私の存在証明」も他人に伝えられない …… 104
第52話　客観的世界の存在についての存在論的証明 …… 106
第53話　登場人物が思考実験するだけで
小説の世界は客観的に実在することになる …… 108

第54話　神は定義上「現実に存在する」といえる？……110
第55話　定義上「現実に存在する」ことで現実に存在できなくなってしまう？……112
第56話　神と私では「以下同様」の方向が逆である……114
第57話　超出しても超出してもどこまでも吸収されていくか、吸収されても吸収されてもどこまでも超出していくか……116
第58話　概念を超えて現に存在しているものの総体を世界と呼ぶ……118
第59話　世界こそが端的な特在的存在者である……120
第60話　この世界からただ現実性だけが奪われる可能性……122
第61話　固有の性質やまとまりとは独立の剝き出しの現実性というものがある……124
第62話　二次的に創られた贋の問題としての独我論……126
第63話　私であることが誰か他の人に移行したら世界に変化が起きる……128

第64話 学くんは私と今に関する素朴実在論者である……130
第65話 今にも過去と未来という対等の対立候補は存在する……132
第66話 今でないだけで実在する過去と、今でないのみならず実在もしない未来……134
第67話 明日の朝、目覚めた僕はこれまでの僕の体験を自分の体験として記憶している人であるにすぎないから……136
第68話 僕が死ぬことや学が僕でなくなることを考えるのはある種の分裂状況を考えることか……138
第69話 「私」の成立に関する二つの基準が分裂する可能性の議論は誰にでもあてはまる……140
第70話 同じでありえなさの種類が同じであるから……142
第71話 第三の世界像の成立……144
第72話 学くんは第三の世界像も認めない……146
第73話 世界は一枚の絵には描けない……148

第74話　時間が実在しないなら人間も実在しない……………… 150
第75話　すべての人が、自分がそれを喋る口によって特定される人物であることを否定するような内容の主張を、その口からする … 152
第76話　善悪の対立は並在系世界観の内部でしか意味を持たない ……… 154
第77話　道徳的な善さに根拠を求めてしまう誤り………………… 156
第78話　承認すべき根源的規範であると同時にそもそも規範ではない端的な事実でもある ……… 158
第79話　たまたまこの目から見えて、たまたまこの口から喋れるから、あたかもこの人であるかのように生きる………… 160
第80話　人生は、何であるかは決して分からない、無理由にただ存在しているだけのもの………… 162
第81話　超‐公的な使い方は超‐私的な役割を担っている………… 164
第82話　哲学の別れ ……………………………… 166
あとがき ……………………………………… 169

世の中の決まり事と違うことを考える意味について
……山下良道・永井 均……173
岩波現代文庫版あとがき……197

哲おじさんと学くん

世の中では隠されているいちばん大切なことについて

第1話　僕が考えていることは人に理解してもらえない

学　僕は決してみんなの言っていることが分からないわけじゃないんだ。大人の言っていることだってちゃんと理解できる。それなのに、僕の言っていることはみんなに理解してもらえないんだ。いや、もちろん、普通のことは理解してもらえるよ。今日は寒いねとか、どら焼きが食べたいよとか、そういうことはね。

でも、僕が本当に言いたいことは分かってもらえないことが多いんだ。大人たちにもだけど、悲しいことに、友だちにも。

たとえば今日、学校の授業で、日本では年間三万人以上の人が自殺しているという話を聞いた。これは大変な数で、対策を立てなければならない、と先生は言っていて、友だちもみんなそう思ったらしい。

でも僕は、その数がずいぶん少ないな、と感じたんだ。いや、それどころか、そもそも人間はなぜみんな自殺しないんだろうと、そのことのほうが不思議に思えたんだ。

大半の人間が適当な時期を見はからって自分で死んでいってもいいじゃないか、むしろその方が自然じゃないか、と。

授業が終わったあと、友だちにそう言ったら、一人は驚いた様子で「君は、自殺したいの？　自殺しようと思ってんの？」と言い、もう一人にはもっと冷たく「そんなら、おまえがまず自殺しろよ」と言われてしまった。そうじゃないんだ。そういうことが言いたいんじゃないんだ。でも、僕が言いたいことは、僕が思うことは、いつもそういうふうにみんなに誤解されてしまうんだ。

哲　自殺というその例については、私はおそらくは君とはまた違う考えを持っているから、いずれしっかりと話し合うことにしよう。それよりもまず、人に理解してもらえないことを考えてしまうという、そのことについて話そう。それは私にとってとても懐かしい感じなのだ。私も若いころは同じだったから。

いったいどうしてそんな断絶が生じてしまうのだと思う？

第2話　なぜこんな「例外期間」が存在するのか

哲　私は、君が人に理解されないのは思考力の使い方が、あるいは使い所が、他の人々と違うからだと思うのだ。自殺という問題以外に、どんなことが人に理解されなかったのかね？

学　いくらでもあるさ。同じ授業のその前の回では、現代社会のいろいろな問題点が取り上げられたんだけど、僕はむしろそもそも社会というものがこんなにうまく成り立っていることの方に不思議さを感じたんだ。仲のいい真面目な子にそう言ったら、君は現状に何の問題も感じないのか、と怒られてしまったけどね。社会問題に鈍感だと思われてしまったみたいだ。そういうことじゃないんだけどね。

もっと根本的な問題もあるよ。理科の授業では、色々な自然法則を教わるじゃない？　ニュートンの三法則とか。でも、ああいうのって、みんな、今までそうだった、ってことだよね？　どうして、これからもそうだって分かるの？　分かるとすればどんな証拠によって？　挙げられる証拠はみんな過去のものだよね。それなのにどうして未来のことが分かるの？　それがいちばん不思議なはずなのに、どうしてみんなは――先生も含めて――そういうところに疑問を感じないの？

でも、もっともっと根本的な問題は、なぜこの僕が存在しているのか、ってことだな。これも友だちの一人に聞いてみたことがあるんだけどね、両親がセックスしたからだってよ、って言われてしまったんだ。そんなことが聞きたかったんじゃないんだけどね。

なんで僕は二一世紀の日本に生まれたの？　悠久の宇宙史の中で、七世紀でも二五世紀でもなく、二一世紀のこの百年ぐらいの間の世界だけが、なぜこんなふうに垣間見られるの？　他のところは暗黒で。これは特別の例外期間なんだよね？　でも、そもそもなぜこんな例外期間があるの？　それはなぜ二一世紀だったの？　どうして日本なの？

まだまだ、いくらでもあるけどね……。

第3話　理性には公的な使い方と私的な使い方がある

哲　君の出した問題はどれも本物の哲学の問題だ。そして君は気づいていないだろうけれど、それらの問題は実は相互に深く関連している。たとえば、君が最後に出した二つの問題——なぜ未来のことが分かるのかという問題となぜ自分が存在しているのかという問題——は、哲学的には実は同じ問題なのだ。

学　同じ問題？　哲学的には？

哲　そうだ。しかし、どうして同じ問題なのかということについては、後でじっくり考えることにしよう。まずは君の思考力の使い方が他の人と違うという点について考えよう。それを考えることで、哲学的とはどういうことかも、自《おの》ずと分かってくるだろうから。

学　それは、ぜひ知りたいな。

哲　カントという哲学者を知っているかね？　彼は、思考力ではなく理性という言葉を使って、理性には二つの使い方があると言った。公的な使い方と私的な使い方だ。公的な使い方とは、いかなる立場によっても限定されない、いわば人類の立場に立った使い方で、私的な使い方とは、何らかの立場によって限定された使い方だ。

たとえば新聞社の人は、社説でどんな見解を述べるべきかを考えている時には理性を公的に使っているが、どうやったら自社の新聞がもっと売れるようになるかを考えている時には理性を私的に使っていることになる。そして、どんな人にもこの二面性があるわけだ。

カントは、理性を公的に使えるようになることが大人になることだと言った。しかし、学くん、君が学校を卒業して会社に就職したら、君はどうしたってその会社のために理性を私的に使わざるをえなくなる。つまり、人は社会に出ることによって子供になるわけだ！

学　それは面白いね。でも、そのことと僕の思考の仕方の問題とはどう関係するの？　僕の思考の仕方が理性の公的な使い方だと言うの？　全然違うような気がするんだけど。僕はちっとも人類の立場になんか立ってないし……。

第4話 しかし理性には超－公的な使い方もある

哲 君の思考の仕方が理性の公的な使い方だと言いたいのではない。そもそも公的な使い方と私的な使い方の区別は絶対的なものではなく相対的なものだと考えた方がよいだろう。公的な使い方とはいかなる立場によっても限定されない使い方で、私的な使い方とは何らかの立場によって限定された使い方だと言ったが、限定のされ方にもさまざまな段階があるからだ。人類の立場と会社の立場の間には、たとえば国家の立場があるだろうし、会社の立場よりもさらに限定された立場はいくらでも考えられるだろう。

学 とすると、逆の限定されない方向もどこまでも広がっていくよね。

哲 その通りだ。人類という立場だって、人類という一つの私的な立場にすぎないと見ることはできる。人類の立場では人類全体が幸福であることが実現すべき最高の理想であっても、それでさえ、なぜそうであるべきなのかとさらに問うことはできるだろう。

君は最初に自殺という問題を挙げたが、どうしたら自殺を減らせるかといった問題を超えて、君のように、そもそもなぜ人間は生きているべきなのかと問うこともできる。それは普通の理性の公的な使い方を超えたいわば超 - 公的な使い方であるわけだ。ある種の人にとっては、そういう問いこそが問うべき問いであらざるをえないのだ。

どうしたら自殺を減らせるかというような問題なら、新聞の社説で論じられることもあるだろうが、そもそもなぜ人間は生きていなければならないのか、などという問題が新聞の社説で論じられることはあまりありそうもない。

もし理性の使い方が公的であればあるほど大人なのだとすれば、君は新聞社で社説を書くような立派な大人たちよりももっと大人であるともいえることになる。君は、たぶん周囲の大人びた子供たちよりも未熟な子供であることによって、新聞社で社説を書くような大人たちよりも成熟した大人であることができるのだ。それが哲学ということだ。

第5話　一人だけ異教徒の集団に紛れ込んでしまったみたい

哲　人は大人になって社会に出ると、限定された見地にしか立てない子供になる。むしろ子供の方が無限定な見地から世の中を見ることができる大人でありうる。こういう逆説がもし成り立つなら、さらに超 - 無限定な見地から世界そのものを見ることができるような超 - 大人＝超 - 子供というものも考えられることになるわけだ。

学　それが哲学ということで、僕がその哲学をやっていると言うの？

哲　いや、実はそうではない。君は哲学的な問題の存在に気づき、哲学の入り口に立ってはいるが、哲学をしているというにはまだ決定的に足りないものがある。しかし、そういうふうに直接に問題を感じ取れることは素晴らしいことだ。

学　ちっとも素晴らしくないよ。不満と不安だらけさ。どうしても納得がいかないんだよ。なぜ僕がここにこのように存在しているのか。いったい何のために生きているのか。そういう根本的なところが全く分からないのに、誰もそういうことは教えてくれないで、今のうちに英語をしっかり勉強しておくと将来役立つぞ、なんてわけの分からないことばかり言われるんだから。まあ、みんなはわけが分かるらしいけどね。僕一人だけ、僕にはわけが分からない教義を信じ込んでいる異教徒の集団に紛れ込んでしまったみたいなんだ。大人はよく、おまえは生活の苦労を知らないから、そんな呑気《のんき》な問題を考えていられるんだと言うけど、これって呑気な問題なの？

哲　生きるための苦労はもちろん真剣なものだが、君が感じているような問題も呑気なものではない。生活の苦労と存在の不安とは全く種類が違うから。しかし、世の中に存在の不安を感じる人は少なくはないが、そこから哲学的思考を始められる人はとても少ないのだ。

学　それはなぜ？

哲　考えるということができないからだ。世の中には、自分が直接感じ取った問題を自分で考えていくことができる人が驚くほど少ない。

第6話　気分に浸って想念を流し続けることは考えることではない

学　僕もやっぱり、哲学的な問題を自分で感じてはいるけど、考えることができないから、哲学をすることができないということか。僕は、自分では随分いろいろ考えているつもりだけど、考えていないかなあ？

哲　君はある種の問題から出てくる気分に浸ってはいるが、まだ問題を考えてはいない。一般に人は気分に浸るのが好きだ。嫌なことや悲しいことでさえ、好んで想起してその気分に浸りたがる。なぜそうなのかには深い理由があるが、今はそのことが問題なのではなく、多くの人が気分に浸って想念を流し続けることと思考することを混同していることが問題なのだ。「考えごとをする」という言い方もあるくらいだから。本来の思考は、そんな情緒的で曖昧なものではなく、まったく意志的できわめて明晰《めいせき》、そして非人称的かつ無時制的なものだ。

学　非人称的で無時制的？……とはつまり、「僕」とか「今」といった言葉が入ってこないということ？

哲　君は頭がいいね。気分や想念を作り出してしまうような種類の自己中心性を脱していないと、思考はできない。君はまだちゃんと考えてはいないが、考える力の素《もと》になるものを持っていそうだな。

学　どうしてそう思うの？

哲　君はもしかしたら自殺しようかと思ったことがあるのかもしれないが、いま自殺したいわけじゃないだろう？　それなのに、自殺者の少なさに驚くと言っていた。私的な問題から出発しながら、その気分に浸ってただ思い悩むのではなく、広く受け入れられている大前提そのものに疑問を感じるにいたった。そういう視点の転換能力こそが考える力の素なのだよ。それだけが弱さや欠陥を力と洞察に変換できる哲学的思考の出発点なのだから。超‐公的な観点に立つには、どうしてもそうしたアクロバティックな力《パワー》が必要になるのだ。

学　アクロバティックな力？

第7話――哲学には二種類の敵がいる

哲　なぜアクロバット的な力が必要なのかといえば、最も人称的で時制的な感覚を最も非人称的で無時制的な思考へ転換させる必要があるからだ。自分自身の人生において直接感じた、普通ならどうしても情緒的・感情的にならざるをえない最も生々しい問題を、あたかも数学の問題を考えるときのように、少しも情緒的・感情的要素を含めずに、徹頭徹尾冷徹に、事実と論理だけに基づいて考えていくことができるかどうか、しかも、そのことに喜びを見出せるかどうか、もっと言えば、そうすることが救いになるかどうか、それがその人が哲学ができるかどうかを決める。これができる人は少ない。普通なら宗教のようなものに頼ってしまわざるをえない場面で、あえてそれを拒否するわけだから当然とも言えるが。

学　矛盾する二つの要素を組み合わせなければならないわけだね。文学的・宗教的な問題に科学的・論理的に答える、と言ったらいいのかな？

哲　そう。言い方を変えれば、問いにおいて科学に対立し、答えにおいて宗教と対立する、とも言える。つまり哲学には二種類の敵がいるわけだ。一方には、そもそも問いの設定の仕方が非科学的だと言って非難する人がいて、他方には、答え方があまりに理詰めで人間の機微に触れていないといって拒否する人がいる。

学　いや、でも、組み合わせ方を逆にして、科学的な問いに宗教的に答えるような人といちばん対立していることになるんじゃない?

哲　よくポイントをつかんでくれたね。そこを混同している人も多い。哲学が最も対立しているものが哲学と呼ばれてしまう場合がしばしばある。

学　でも、そうだとすると、哲学に興味があるといっても、哲学のどちらの側面により興味を持つかによって、やっぱり二分されることにならないかな?

哲　二分されるというよりも、二つの極の間を揺れ動くといった方がいい。古代ギリシアから今日まで実際に存在した哲学にも二極性はある。

第8話　哲学は祈りを拒否する祈りである

学　哲学の立場のようなものはよく分かったよ。僕自身は共感できるし、すごく興味もあるけどね、でも客観的に考えてみると、普通なら宗教のようなものに頼ってしまわざるをえないような人生の問題を、あえて数学の問題を考えるときのように徹頭徹尾論理的に考えていくなんてことが、どうしてよいことだといえるの？　客観的に見て哲学に価値があるといえる理由は何なの？

哲　その問いに対する答えは、私自身の哲学の立場からのものにならざるをえない。そう思って聞いてもらいたい。まず、本当に重要な問題は現在諸科学が扱っているような問題ではない。例えば、一回しかないこの人生とはそもそも何であり、それをどのように生きるべきなのか、という問題こそが重要だろう。科学はそれに答えず、宗教がそれに答えるが、残念ながら宗教の主張することは嘘だ。

学　嘘？

哲　嘘と言って悪ければ、根拠なき独断と言おう。世界を創造した神が存在して、その神の子が人類の罪の身代わりになって処刑されたとか、人間は死ぬと通常ならいつまでも輪廻《りんね》転生《てんせい》し続けるが、修行して悟りを開けばその輪廻から解脱できるとか、そういった話は何であれ人生の苦しみを減らすために作られた作り話にすぎない。その種の作り話に基づいて、人生に意味や価値が与えられたとして、君はそれで満足できるかね？

学　確かに、それはできないけど……。

哲　生の苦しみを無くし生に意味を与えるために作り出されたその種の作り話を、どんな種類のものであれ一切認めないというのが、宗教と対立する側面での哲学の根本前提なのだ。

学　少なくとも僕には哲学が合っているような気がするけど、でも、どうして宗教じゃいけないの？　それで人生の苦しみが癒《い》やされるなら、宗教を信じたってべつにいいような気がするけど……。

哲　それを否定しているわけではない。哲学は、祈りを拒否する祈りなのだから。

学　祈りを拒否する祈り？

第9話　本物の問題であると見なされること自体が嫌がられるような問題がある

哲　祈りを拒否する祈りという意味はね、宗教の祈りにひそむ隠れた不誠実さを拒否して、宗教よりも徹底的に誠実に祈るということなのだ。だから、祈らない祈りと言ってもよい。それでもなぜ祈りと言うのかといえば、そこに究極的には一種の信仰があるからだ。常識や教義によって独断的に答えたくなるようなところで、どこまでも論理的に、理詰めに考えていくことこそが最も価値ある行為であるという信仰だ。キリスト教信仰が育てた誠実さが最後には神など実は存在しないことを誠実に認めることを強いた、というニーチェという哲学者の有名な言葉があるが、それが哲学なのだ。ポイントは宗教を否定するその誠実さそのものは依然として宗教的な誠実さだというところにある。哲学徒は、理のあるところにのみ従い抜くというこの信仰を決して手放さないのだ。

学　前に「そうすることが救いになる」と言っていたけど、あれはそのこと？

哲　そうだ。自殺については世間においても色々な意見があるかもしれないが、他殺がいけないことであることは世間ではあえて問い返すこともありえないほど自明のこととされている。しかし、それは何故か。問われれば多くの人は困るだろう。お前だって人に殺されたくないだろう？　と問い返すことによって答えようとする人がいるかもしれない。しかし、たとえ自分自身を含めてすべての人間が人に殺されたくないと思っているとしても、だからといってなぜ私は人を殺してはいけないことになるのか？

学　肝心のそのいけなさがどこから出てくるかは、それだけでは分からないね。

哲　そうだ。これは本当は非常に難しい問題なのだ。人が殺されたくないと思っている等々、人間や社会についてのどんな事実を持ち出しても、この問いに答え切ることは実はできない。だが、世間はこれを本当は非常に難しい問題であると見なすこと自体をひどく嫌がる。

学　何でもいちばん肝心のところは隠されているよね。

第10話　問題を自分の悩みとしてではなく「あり方の謎」として捉える能力

学　何でも僕がいちばん知りたい肝心要のところになると、たいていの人は説明するまでもない、全くあたりまえのことだと思っているんだ。そして、そのことに疑問を持って問題にすること自体が、なぜだか知らないけど、とても嫌がられるんだよ。

哲　超-公的の「超」は「超越」という意味でもあって、この世の中で成り立っている色々な規範を超えて、超えた視点からその根拠を問うことでもあるから、そこに安住している多くの人が何か不穏なものを感じるのは当然のことだろうね。

逆に言えば、そういう問題を考えていく難しさは、問いに答えることの難しさというよりは、問いを立てることの難しさにあることになる。多くの人にとって――非常に頭のよい人も含めて――哲学的な発想法が格別に難しく感じられる理由はそこにあるだろう。いけなさの起源の問題もそうで、多くの人にとって世の中にしてはいけないことが存在することはすでにして自明のことだから、それが成立する以前の視点に立ってその成立のからくりを探るという、そういう視点の取り方そのものが難しいのだ。

学　この問題で言うと、誰でも自分は殺されたくないと思っているとして、そこからなぜ誰もが他の人を殺してはいけないことになるのか、その移行を不思議だと感じるような視点に身を置くことが難しいということ？

哲　そこに移行があることが見えなくなっていること自体がこの問題そのものなのだから。

学　そういう問いは、自分自身が人を殺したいと思ったことがあるかどうかといったこととは関係ないのに、その点もなかなか理解してもらえない……。

哲　自殺の話のとき、友人の一人が「君は自殺したいの？」と聞いたと言っていたけど、その子にはここで言う意味での哲学をする能力がなかったことになる。問題を自分の悩みとしてだけでなく、そこから、それを超えて、非人称的なあり方の謎として捉える能力が。

第11話　なぜ「僕だから」では理由として通用しないのか

学　その問題にこだわるけどね。誰でも自分は殺されたくないと思っているとして、そこから誰もが他人を殺してはいけないことになるのは何故なの?

哲　最も根底的なことを言うなら、それは自他を同じ種類のものと捉えるからだ。そこにこの世の中の成り立ちそのものに潜む根本的な問題が隠れている。ある意味では、自他を同じ種類のものと捉えることは全くあたりまえのことにすぎない。みんながシュークリームを一つずつ食べているとき、M君という子が「僕だけもう一つ食べる」と主張したとしよう。「なぜM君だけが特別扱いされるの?」と問われて、彼が「なぜってM君は僕だからさ」と答えたなら、みんな呆気《あっけ》に取られるだろう。もちろんそんな理由は通用しない。そもそも理由になっているとみなされさえしないだろう。

しかし実は、彼は本当の理由を正しく語っているのだ。なぜなら、彼がM君だけ特別扱いしたのは、実際、M君が自分であるという理由によるものであったから。人は事実そういう理由によって欲求を持ち、そういう理由によって行為することがある。「ことがある」どころか、それこそがすべての欲求、すべての行為の最も深い根拠だとさえいえる。しかも、実はそうであることを本当は誰でも知っている。

学　ああ！　僕はね、実はそのことも不思議に思っていたんだよ。なんで僕だけが一つ多くシュークリームを食べてはいけないのか、ということももちろん問題なんだけど、それとちょうど並行的に、いやむしろそれ以前に、僕が全く当然のように僕の欲求だけを特別扱いするのは何故なのか、ということが不思議なんだよ。もちろんM君の言うように「僕だからさ」というのが理由なんだけど、そのことそのものがすごく不思議なんだよ。

　でも、世の中にそんなことを不思議がっている人は誰もいないよね？

哲　いや、少なくとも一人はいる。

学　誰？

哲　私だ。

第12話　僕が問題にしたいことはいつもう終わってしまっている

哲　たいていの人はそんな問題は全く理解しないだろう。君が君の欲求だけを特別扱いするのは生物の本性からして単にあたりまえのことにすぎない、といったことを言うはずだ。

学　それは、一般に生き物が自分自身の欲求に従って行動するのは、生き物の性質からして当然のことだ、という意味だよね。でも、僕が言いたいのはそういうことじゃない。だって、僕は僕以外の生き物がそいつ自身の欲求に従って生きているかどうかなんて、そもそも分からないからね。そして、まさにそのことを問題にしているのに、そこのところがどうしても理解してもらえないんだ。

哲　もともと問題は一般的な道徳規範と君自身の欲求との対立にあった。それなのに、その欲求の側についても、初めからみんなの欲求という一般的なものの存在が前提にされてしまうわけだな。

学　そうなんだよ。そうすると、こっちの側にも道徳規範に似たような一般的なものがもうすでに成立しちゃってるんだよ。ぼくはなぜこれに突き動かされてしまうんだろう、と言っているのに、これと同じ種類のものが他の人にもあることがすでに前提されたところからしか話をはじめてもらえないんだ。そうであれば問題を解決するのは簡単だろうけど……。

哲　だが実は世界はそうなってない！

学　僕が問題にしたいことは、いつももう終わってしまっている……。

哲　君の問題は前に話した存在の不安に対応しているのに、人々はそれを生存の危機の問題として受け止める。それなら、みんなが集まって規範を打ち立てるという社会契約のような考え方で解決できるだろうけど、自他を同じ種類のものと認めるという、その前提になっているもっと深い次元の「契約」はもう問われない。欲求の問題が道徳の成立によって解決されるように、存在の問題は言語の成立によって解消されるわけだが、そこはもはや我々の目には見えない……。

学　あ、いま一瞬、生まれて初めて何かが見えたような気が……。

第13話　今僕が問うていることと同じことはかつて一度も問われたことがない

哲　何が見えた？

学　一瞬、何か重大なことが分かったような気がしたんだけど、つかめないんだよ。最初に、僕が疑問に思っていることをいろいろと話したとき、おじさんは確か、「なぜ僕が存在しているのか」という問題と「なぜ未来のことが分かるのか」という問題は哲学的には同じ問題だ、と言ったよね？　今、一瞬、その二つがつながったような気がしたんだけど……。

哲　あのとき君は、「我々が今知っているすべての法則的事実は今までずっとそうだったということにすぎないのに、そのことからなぜ、これから先もずっとそうであり続けると言えるのか？」と問うた。根拠として出せることはすべて過去のことなのに、そこからどうして未来のことが分かるのか、と。

学　そうそう。例えば、今突然エネルギー保存の法則が成り立たなくなることはありえないってなぜ言えるの？

哲　こう答えたらどうだろう。今まで何度もそういう種類の疑念が持たれてきた。しかし、いつも常に、その時点から見て未来になっても、やはり同じ法則が成り立ち続けてきた。ほぼ無限回にわたってその疑いは退けられてきたわけだ。だから、その疑問にはもはや改めて提出されるべき理由がない。

学　駄目だよ！　だって、それはみんな過去のことじゃないか！

哲　いやいや、現在から見れば過去だが、その時点においては過去ではない。

学　あ、今また、ちらっと、何か重要なことが分かったような感じがしたんだけど……。

哲　何かつかめたかな？

学　その時点においては現在のことなんだ。だから、今僕が問題にしていることと同じことがすでに何度も問題にされてきたとも言えるわけだ……。少なくとも、同じ種類のことだと見なせる……。あ、もしかして、この「同じこと」って、さっき話した「自他を同じ種類のものと捉える」という時の「同じ」と同じ種類の「同じ」かな？

第14話　それぞれの時における今と端的な今、それぞれの人における私と端的な私

哲　同じ種類の「同じ」だろう。

学　でも、その時点においては現在って、やっぱり現在じゃないということだよね？　僕が生まれた時点だって、来年の初日の出の時点だって、もちろんその時点においては現在だけど、やっぱり本当の現在じゃない。本当の、この現在とは全然違うもの。

哲　しかし、その「この現在」とは何だ？　ある意味では、君が生まれた時点も、来年の初日の出の時点も、その時点においては「この現在」だろう。逆に考えれば、今この時点のこの現在だって、二〇一三年八月一一日における現在という意味にすぎないとも言える。

学　他の時点における、その時点にとっての「この現在」と、端的なこの現在とは、やっぱり、全然違うと思うけど……。

哲　たしかにそうも言える。何よりも興味深いことは、他の物には、そもそもそういう問題が存在しないということだ。どんな物だって、その物にとってはその物自身だ。そして、ただそれだけのことだろう？　時間の場合の「この現在」に当たるような、特権的な「この物」などはどこにも存在しない。

学　いや、もしかして、一つだけ存在するんじゃないの？

哲　それは何だね？

学　この物だよ〔と言って、学くんは自分の体を指した〕。哲おじさんの体だって、悟じいさんの体だって、もちろんご当人にとっては自分の体だろうけど、でもやっぱり、端的な自分の体であるこの体とは全然違う。「自分の」ということの意味そのものが全く違うもの。

哲　しかし、見方を変えれば、その端的さだって、端的な端的さではなく、学くんという一人の人間にとっての端的さにすぎないとも言える。それはちょうど、全く特別なもののように感じられるこの現在といえども、他の時点と同様に、二〇一三年八月一一日における現在という意味しか持ちえないのと同じことだ。

学　いや、僕はそのどちらも間違っていると思うよ。

第15話　あり方が逆になっている奴が一人だけいる

哲　なぜどちらも間違っているのだ？

学　だって、たくさん人間がいて、生物学的にはみんな同じ構造をしているはずなのに、なぜこの学というやつだけがこんな特殊なあり方をしているの？　こいつの目からだけ世界が実際に見えるし、こいつの体だけが殴られると現実に痛いし……。そういう特別なやつが一人だけ存在していて、そいつはなぜか二一世紀の日本国に生まれた学というやつなんだ。どういうわけか、そういう現実が最初から与えられてしまっているんだよ！

僕以外の人の場合には、哲おじさんなら、まず哲おじさんという人がいて、その人が自分を意識することで、哲おじさんにとっての「私」が成立する。悟じいさんなら、まず悟じいさんという人がいて、その人が自分を意識することで、悟じいさんにとっての「私」が成立する。……という風になっている。でも僕の場合は、まず学という人がいて、その人が自分を意識することで学にとっての「私」が成立するというふうになっていない。まず、なぜかその目から世界が実際に見えているという特別のあり方をしているやつがいて、そいつはなぜかみんなから学と呼ばれている一人の人間だったんだ！　つまり、あり方が逆になっているやつが一人だけいるんだよ！

この違いは絶対にあるよ。一八世紀においては一八世紀が現在で、二四世紀においては二四世紀が現在であるのとは違って、そういう「おいては」抜きに、二一世紀が端的に現在なのと同じように。

哲　素晴らしい！　君は最も重要な問題を自分で捉えた。そこに自分で気づくことが出発点だ。この問題は、他のあらゆる問題と違って、他人の言っていることから理解するということがそもそもできないようにできているからだ。他人と共有できないということこそが、この問題の本質なのだから。

だが、まさにそれゆえに、素晴らしい真実に気づいたにもかかわらず、君が言いたいことは実は言えないということに気づかないか？

第16話　「〜にとって」成立する主観的事実は客観的な主観性である

学　言えない？

哲　つい先ほど、私は、その端的さもまた端的な端的さではなく学くんという一人の人間にとっての端的さにすぎない、と言った。それは、全く特別なもののように感じられるこの現在でさえ、他の時点における現在と同様に、二〇一三年八月という特定の時点における現在でしかありえないのと同じことなのだ、と。言えない理由は、まさにそこにある。

君は、たくさんの人間がいるのに、二一世紀の日本国に存在している学というやつの目からだけ実際に世界が見え、そいつの体だけが殴られると本当に痛いという事実がある、と言う。なぜかそういう特別なやつが一人だけ存在しているという事実があって、それが不思議だ、と。

だが、その発言を聞いた誰もが、そんな事実はない、と言うだろう。なぜなら、その発言を聞いた者から見れば、それは学というごく普通の一人の人間が言っていることにすぎず、その人間はそんな特別なあり方などしてはいないからだ。その特別さは、学という一人の人間にとってはそう見えるという特別さにすぎず、当人が言い立てているような客観的事実はどこにも存在しないからだ。

学　客観的事実？

哲　ここで客観的事実というのは、外界の物理的事実とか、誰の目にも明らかな社会現象といった意味ではない。人々に言葉で言って通じ合えるような事実という意味だ。だから、学という人間に起こっている主観的事実なども、この意味での客観的事実に含まれる。君が視力検査で、左端の下から二番目の字は「カ」だと言えば、その字が実際には「サ」だったとしても、学という人に「カ」に見えているという客観的事実が認められる。それは言語で伝えることができ、みんなに共通の事実となるからだ。

それに対して、今君が言おうとしていることにはそういう客観的内容がない。もちろん君が「僕にとっては僕がそう見えるだけだよ」と言うなら「カ」と同種の客観性が生じるのだが……。

第17話　言語の本質的な機能が本当は存在している事実を語れなくする

学　つまり、こういうこと？　僕の言っていることは、聞いた人たちの観点からすれば、学という一人の人間が言っていることにすぎない。だから、僕が言おうとしているような、僕という存在の特別さなんて認められるわけがない。僕が言いたいことは、学という人間にとっては自分自身がそのように見える、という主観的現象とされてしまう。

哲　そう。君がそれを認めれば、視力検査表の中のある字が君には「カ」に見えるというのと同じ種類の主観的な現象の存在が、客観的に認められることになるだろう。われわれが共通に認める主観性は、学とか哲とか悟とか、それぞれの主体にとっては世界がどう見えているか、という主観性だけだ。「僕」や「私」は代名詞であって、「学」や「哲」や「悟」のような名詞の代わりをするにすぎない。それ以上の事実があるなどと言えば、「超自然的」と言われて、何か神がかった話のように思われてしまうだろう。

学　超自然的ではなく超言語的なだけだと思うよ。言語というものの機能が本当は存在している事実を語れなくしているんじゃないかなあ。さっき言ったように、僕以外の人の場合は、その人が自分を意識することで、その人にとっての「私」が成立するけど、僕の場合だけは逆で、まず、その目から世界が実際に見えていて、その体を叩かれると本当に痛い、……というやつが一人だけ存在していて、そいつはなぜかみんなから学と呼ばれている一人の人間だったんだ。たとえ言葉を使って人に伝えることができなくても、この事実は間違いなく現に存在しているよ。

哲　君にとってはね。そして、君以外の誰もが、君と全く同じことを言うことができるはずだ。だから、君が本当に言いたいことは決して言えないことになる。

学　他人たちが言葉の上で同じことを言えるかどうかは関係ないよ。だって、現実には、同じどころか似ても似つかないあり方をしている——そのことこそが僕の言いたいことなんだから。

第18話　最も重要な事実は他人と共有できない

哲　つまり、二種類の相容《あいい》れない世界像が併存するわけだ。一つは、生き物がたくさんいて、それぞれに意識とか自我とかそういったものがある、それだけのことにすぎない、という世界像だ。そういったものが脳や神経のような物質的なものからどのように生じるかは、いずれ関連諸科学が明らかにするだろう。これはごく普通の世界像ではないだろうか。

学　そういう意識や自我たちのうちに、なぜか一つだけ、この僕という他と全然違うあり方をしたやつがいるという事実は、その世界像ではどう説明される？　意識や自我がいくつ存在していたって、もしこいつが存在しなかったら、何も存在しないのと同じことになっちゃうよね？　こいつっていったい何なの？

哲　この世界像では、それは世界の内部に他と並んである一匹の生き物が存在しているという事実にすぎない。もう一つの世界像は、君の言う通り、私と私以外の生き物ではそのあり方は全く違っている。もし私が存在しなければ、全世界は存在しないのと同じことになる。だが、私がそう言っても、私が言ったことに賛同する人は誰もいないはずだ。学くん、君も含めてだよ。つまり、この世界像の特徴は、原理的に他者と共有できないという点にあるのだ。

学　僕は間違いなくそっちが正しいと思うよ。だって、もしそうでなければ、この世で最も重要な事実が実は存在しないことになってしまうからね。

哲　だとすれば、最も重要な事実は他人と共有できない、ということになる。この共有できなさは、他人が見ている――例えば視力検査表上に――視覚像は見えないとか、他人が感じている感覚や感情は感じられないとか、そういったレベルの共有できなさではない。それだけのことなら、やはり人々は同じ世界に一緒に属していることにはなるから。この世界像では、世界というもの自体が本質的に他人と私が一緒に内属しているようなものではないことになるのだ。

学　それは真実だと思うな。

第19話　並在的世界像と特在的世界像

哲　二つの世界像が提示されたわけだが、学くん、君ならそれぞれにどういう名前をつけるかね？

学　最初の方は、みんなが同種のものとして並んで存在するということだから、並在的世界像。後の方は、その中に特別なやつが一つ存在するわけだから、特在的世界像。どうかな？

哲　並在は分かるとしても、特在は変だな。しかし、全く新しい命名で手垢《てあか》がついていないという点では好都合だ。というのは、この対立は他の対立と混同されやすいのだ。唯物論と観念論、全体論と原子論といった対立と混同されて、特在的世界像が観念論や原子論と同一視されてしまうことが多い。

学　唯物論と観念論は知っているよ。世界が、心や意識を含めて、結局は物質から出来ていると考えるのが唯物論で、世界が、物質を含めて、究極的には心や意識から成り立っていると考えるのが観念論だよね。全体論と原子論って？

哲　個々のものがまずあって、それらが集まって全体が作られると考えるのが原子論。全体的連関の中でしか個々のものは存在しえないと考えるのが全体論だ。原子論の方が常識的に見えるが、台風のようなものを考えれば、他との連関を離れては存在しえないことは明白だろう。単に気圧の差があるだけで、台風というものがあるわけではないから。あらゆるものがそういうふうに他との関係において在ると考えるのが全体論だ。

学　それなら、悟じいさんがよく言っている仏教の「縁起」も全体論？

哲　そうだ。そして仏教の言う「無我」とは原子論の否定のことなのだ。重要な点は、全体論も原子論も全体の中に個々のものが並在するという基本図式は共有しているという点だ。それらが孤立して存在しうるか関係の中でしか存在しえないかが対立しているにすぎないのだから。

学　なるほど。とすると、唯物論と観念論も並在的世界像の内部の対立なの？

哲　そう。唯物論者はもちろん物質が相互に並在していると考えるが、観念論者もまたたいていは心や意識が並在していると考えているから。

第20話　脳が意識を作り出す仕組みはみな同じなのに、なぜ一つだけ実際に感じられる意識が存在するのか

学　無我を主張するってことは特在的世界像を否定するってことじゃないの？

哲　もしそうなら、全体論を主張する必要はないことになるな。単に並在的世界像を主張すればよいなら、それぞれのものが独立に存在していてもよいことになるからだ。逆に言うと、全体論を主張したところで、そのことで特在的世界像が否定されるわけではないのだ。

学　悟じいさんはよく僕に「君というものは全宇宙の全歴史が織り成す壮大な網目の一つの結び目にすぎないのだよ」というようなことを言うけどね……。

哲　彼はすべての人間に関してそう言うだろうから、そもそも特在性という問題には触れてもいない。もし君が二〇一三年九月に日本付近に発生した台風一八号だったら、と考えてみたまえ。

学　そしたら、もう死んでるよ！

哲　台風は典型的に全体論的なあり方をしているから、まさに「一つの結び目」にすぎない。しかし、そうであることはすべての台風に同様に当てはまる。

学　だから、なぜか僕が一八号であったという事実には触れてもいない？

哲　台風一八号を構成している要素が次々と入れ替わっていくとか、他の台風と連続していて切れ目がはっきりしないといった話も、同じように関係ない。

学　唯物論的な論拠を持ち出す人も多いよね。悟じいさんの言い方を真似て言えば「君のその意識はその頭の中にある脳という物質的なものが作り出しているにすぎないのだよ」とか。

哲　それも、誰の意識だってそうなのだから、やはり論点に触れてもいない。

学　僕は、まさにそのことが不思議なんだよ。みんな同じように脳があって、脳が意識を作り出す仕組みはみな同じはずなのに、なんでそのうち一つの意識だけがこういう風に実際に感じられるの？　この違いはいったい何によって作り出されているの？

哲　確かにそれを唯物論で説明するのは難しい。だからといって観念論なら説明できるわけでもないのだ。

第21話　学という人が僕である必然性はない

悟　脳が意識を作り出す仕組みは不思議かもしれんが、学が作り出された意識のうちの一つだけを実際に感じられることには何の不思議もないじゃろ？　誰だって、一つだけを実際に感じることができるのだから。

学　悟じぃさん！　いったいどこから出てきたの？

悟　何度もわしの名が出たので呼び出されたのかと思ってな。

学　作り出された意識のうちの一つがこの僕であることが不思議なんだよ。脳から意識が生じるだけなら、この僕なんてものが生じる理由はないんだから……。

悟　お母さんが妊娠中絶をして学が生まれてこないこともありえたからかい？

学　違うよ。学という人は普通にこの人として生まれてきても、そのこの人が僕である必然性がないって意味だよ。

哲　その学くんも今君が言ったのと全く同じことを言うだろうけどね。

学　それでも彼は僕ではない！

悟　うーん、いまひとつ分からんな。

哲　教育とはすべてを並在的に捉える癖を教え込むことで、社会生活とはその実践の場ですから、長生きした悟じいさんがすでにそれを完璧に身につけているのは当然です。学くんという他者で考えていては分からないので、悟じいさん自身の場合で考えてくださいよ。

悟　ワン・オブ・ゼムとしか思えんが。

哲　そう「思う」という思考が働く手前の段階に戻って、どのような事態をそのように構築しているのか、見極めてください。即座に全体を上から眺めて事態を並在的に捉える癖を一旦取り払って。

悟　うーん。分かりはするが、わしが悟であるのは単なる偶然にすぎん。

哲　だとしても、たまたま隕石が自分の頭に落ちてきたというような、確率は低いが何が起こったのかは明らかなケースとは違う種類の偶然でしょう？

悟　そういう考え方は自我にとらわれた考え方ではないかな。

哲　いや、おそらくはその逆です。

第22話　この世界には学という人は存在するが僕というものは存在しない

学　悟じいさんが突然現れて話が逸《そ》れたけど、僕が知りたいことは、みんな同じように脳があって、脳が意識を作り出す仕組みは同じなのに、なぜこの一つしか実際には感じられないのか、この違いは何に由来しているのか、ということなんだよ。

哲　両親から髪が茶色く目の大きい男の子が生まれ、「学」と名づけられた。彼は自己意識を持つようになり、「なぜ僕は存在するのか？」と問うにいたった。このプロセスはすべてしかるべき因果連関に支配されていると言える。

学　その子が僕であることは？　その子がそういう子で、そういう問題を考えていても、つまり僕と全くそっくりでも、それでも僕ではないこともありうるよね？　逆に、この僕とは似ても似つかない一六世紀に生まれたドイツ人が僕というあり方をしていてもよかったよね？　つまり、こいつが僕であることにはしかるべき因果連関がない、よね？　だって、科学的な因果連関から言えば、そもそもこの僕なんて生じる必要はないんだから。脳がどんな意識を作り出してもそれが僕の意識である理由なんかないのと同じで。

哲　さっきも言ったが、君でなかった場合のその学くんも、同じ経過をたどって、その同じ問いを問うが……。

学　同じ問いかな？　確かに、僕自身以外の誰にも、その学くんと僕とを識別することはできない、というかその区別が意味を持たない。それでも、僕の問いは彼の問いとは違うよ。だって、その違いこそがこの問いの主題なんだから。

哲　……と学くんという人が言っていると、君自身以外の人はみな理解するだろう。そして、その発言にいたる全プロセスは、全体論的にであれ唯物論的にであれ、因果的に説明できるから、その意味では君の存在にはしかるべき因果連関がある、ともいえるわけだ。

学　そうすると、世界の中に学という人は存在しているけど僕は存在していないことになる？　その僕がいなければ何もないのと同じなのに！

第23話　他人はゾンビかもしれないという懐疑は我々の議論とは関係ない

哲　「世界の中に学という人は存在しているけど僕は存在していない」と君は言えるが、私は「世界の中に学という人は存在しているが君は存在していない」とは言えない。なぜなら、私にとって君とは学という人にほかならないからだ。だから、君自身も言いたいことを人に伝えることはできない。

学　でも僕はやっぱり存在するよね？

哲　存在の意味が違うと言うべきだ。ハイデガーという哲学者は、そういう違いを「存在論的差異」と呼んだ。存在しているものと、存在するものを存在させているがそれ自体はその背後に隠れて見えないものとの違いだ。この違いを、物と心の違いとか、客観的なものと主観的なものの違いとか、そういった種類の違いと混同しないことが大切だ。心や主観といったものは存在するものの一種にすぎないからだ。また、いわゆる独我論のような考えと混同しないことも大切だ。ある一つの主観から見れば、他者の意識は本当に存在するかどうか分からないから、本当は自分以外の人間は意識のないゾンビかもしれないと疑うことはできる。

学　ゾンビ？

哲　哲学では、映画のゾンビとは違って、外見も内部構造も人間と全く同じだが意識だけない生き物をゾンビという。しかし、他人はゾンビかもしれないではないかと疑うことは、我々の今の議論とは関係ない。そのようなことは全く疑わなくともやはり問題は存在するからだ。

学　今、面白いことを思いついた。僕が二つに分裂して、物理的にも心理的にも全くそっくりの二人の学が出来上がるとするよ。学右と学左と名づけられるとする。そのとき、客観的には全く区別がつかないのに、なぜか僕は学左なんだよ。つまり、学左の目からだけ世界が見えるし、学左が殴られたときだけ痛いし、学左の体だけ動かせるんだよ！　学右と学左は想定上全く同一なのに、でも全く違うんだよ。このことからも、学というこの人が存在することと僕が存在することとは違うことだといえるよね？

第24話　学が二人に分裂して一方が僕だった場合

哲　君が二つに分裂して、物理的にも心理的にも全くそっくりの学右と学左が出来上がって、なぜか君は学左であったとき、君は「学左の目からだけ世界が見え、学左が殴られたときだけ痛くて、学左の体だけ動かせる」と言うだろうが、全く同様に学右は「学右の目からだけ世界が見え、……」等々と言うだろう。

学　でも、なぜか学左が僕なんだ！　それこそがすべての始まりなんだよ！

哲　学右も全く同じことを言うが……。

学　同じじゃない！　だって、その同じじゃなさこそが僕が言っていることなんだから。まさにその同じじゃなさからこそすべては始まっているんだ。因果連関という話に戻って言えば、二人の物理的状態や心理的状態や自己意識のあり方といったものは、ぜんぶ世界の因果連関の内部にあるけど、学左が僕であるという事実だけはその内部にないわけだよ。

哲　いや、君が学左になった時点で自分を指して「僕は学左だ」と言えば、客観的に存在する自己意識に基づいて学左という客観的な存在を指しているから、十分因果連関に則《のっと》っていることになる。

学　そうじゃなくて、そもそも世界が本当に見える唯一の目が、なぜか学右の目じゃなくて学左の目だったという、驚くべき事実を語っているんだよ！

哲　繰り返しになるが、君がすべてはそこから始まるというその驚くべき事実は、言葉で語ることができない。言い換えれば、君が言いたい意味においては、そもそも君が学左であるという事実そのものが存在しない。科学者が研究すべき事実そのものがそもそも存在しないのだから、それが科学的因果連関に乗らないのはあたりまえのことにすぎない。存在しているのは単に、学左という一人の人間に因果連関に則って自己意識が生じているという自明の事実だけだ。悟じいさんもそうだったが、世の中にはそのような見方しかできない人も多いのだ。

学　そういう人は存在論的差異が理解できないのだから、そもそも存在の意味が分からないんじゃないの？

第25話　安倍首相が二人に分裂したら二人とも対等に本物の安倍首相である

哲　自分が分裂する状況のような仮想的状況を考えることを、哲学では思考実験という。通常の実験が何が現実で何が非現実かを調べるのに対して、思考実験は何が可能で何が不可能かを調べる。君の思考実験を使って言うなら、分かれた二つの体が両方とも君であることも可能ではある。どちらの体も殴られると痛く、四つの目から世界が見え、四本の手を自由に動かせる状況、つまり君が二つの体を持った状況を考えればよいからだ。

学　そんなことでも可能なのだとすると、不可能なのはどんな場合?

哲　例えば、君が二人存在する状況だ。

学　確かに、それを考えようとすると、今おじさんが考えた、一人の僕が二つの体を持つ状況か、さっき僕が考えた、僕自身と僕そっくりの奴とがいる状況か、どちらかしか考えられないなあ……。

哲　君の思考実験から分かることは、立っている位置の違いに由来する見えている情景の違いという微細な違いを除いて、他のすべてが全く同じであっても、一方が自分で他方が他人であるという巨大な違いが可能だということだ。

学　例えば哲おじさんが二つに分裂した場合には、そんなことは不可能だよね？二人とも全く同じように本物の哲おじさんなだけだよね？

哲　私に向かってそう言われても困る。ここで我々の意見が一致しないからこそ、我々は相互に他人なのだから。しかし、我々二人にとって共通に他人である悟じいさんや安倍首相やイチロー……についてなら、もちろんその通りだ(笑)。

学　ゾンビの話も思考実験だと思うけど、外見はともあれ、脳や神経のような内部構造まで人間と全く同じなのに意識だけない生き物なんて可能なの？

哲　もしそれが可能でないなら、脳や神経が特定の状態にあることと意識が存在することが同じことになってしまう。それらはともあれ違うことではあって、しかし現実には両者の間に必ず因果関係が働くのだと考えたければ、ゾンビは可能でなければならない。

第26話　なぜかさの自覚が不可欠

学　可能という問題にこだわるけど、現実の自然法則と無関係にただ考えられるだけでいいなら、今僕が「今」と言ってから「僕」と言うまでの間に、百万年間すべてが止まって時間だけが流れた、と考えることだってできるよね？

哲　いや、できない。時間は周期的な運動や変化によって計測されるから、すべてが止まっているのに百万年経過するという想定は無意味だ。それと同じように、ゾンビであるかないかを調べる手立てが原理的にないならゾンビという想定自体が無意味だ、という意見もある。その場合には、意識があることは、脳や神経が特定の状態にあることか、または外面的に泣いたり喋《しゃべ》ったりできることか、どちらかと同じことになる。

学　ゾンビであるかないかを調べる手段が原理的にないというのは他人の場合だよね？　僕自身の場合には、ゾンビであるのとないのははっきりと違うから。

哲　そう考えるとゾンビの問題は我々が論じている問題につながってくる。

学　あと、僕は僕が一六世紀のドイツ人であることは可能だと思うけど、僕が台風であることは、それと同じような意味では不可能だと思うんだけど……。

哲　自分が台風だったらと考えるためには、その台風に意識や意志がなければならないだろうが、それだけでは足りない。世界がそこから知覚できて、その知覚に基づいて台風である自分の体を動かせたとしても、世界が事実そうなっているというだけで、自分がその台風だという自己意識は生じない。それが生じるためには、他の台風たちにも自分と同じような意識や意志があるのになぜか自分はこいつだ、というなぜかさの自覚が不可欠なのだ。当然のことながら、そういう自覚が生じる際には、自己意識という能力もまた他の台風にもあることになるから、この「自分」はもはや単なる自己意識ではありえない。

学　台風たちの一つがなぜか僕だったという実存の問題は、自己意識の存在だけからでは出てこないね。

第27話　私と今はすべてがその中に入るという点で似ている

学　他の台風も意識や意志を持っているのになぜか自分はこいつだということは、実際にはこいつの意識や意志しか存在していないということじゃないの？

哲　いや、そう言えるためにも、他の台風たちもこれと同じものを持っているのに現実にはこれしか与えられていないという、同種のものの間の存在論的な落差が認められていなければならない。

　ところが、このように論じてくると、この問題は自己の存在に特有の問題だと誤解されやすい。そうではないことを知るためにも、前に論じた時間の問題に戻る方がよいだろう。

学　時間の問題って、これまでそうだったからといってどうしてこれからもそうだといえるのか、って問題のこと？

哲　そうだ。あの時も言ったが、あの問題とこの問題が同じ問題であることを理解することが重要だ。あの問題は、いつの時点の今もこの今と全く同じあり方をしているのに、なぜか本当の今はこの今だけだ、という問題だった。だから、君が言ったように、実際にはこの今しか存在していないと言ってもよいのだが、そう言えるためにも、他の今たちもこの今と全く同じあり方をしているのに現実にはこの今しか本当の今ではない、という同種のものの間の存在論的な差異が認められていなければならないのだ。

学　それはわかるけど、そもそもなんでそういう並行関係が成り立つの？　私と今なんてちっとも似ていないのに。

哲　いや、とても似ている。どちらもすべてがその中に入ってしまうから。

学　すべてがその中に入る？

哲　過去はもうなく、未来はまだない。にもかかわらずなぜあるのかといえば、今ある記憶や予期として今の中にあるからだ。実は、今しか存在しない。今がすべてなのだ。

学　今と今以外の時との間に成り立つそういう関係が、僕と僕以外のものの間にも成り立つというわけか！　ということは、すべてのものは僕の中にあるんだね？　僕がすべてなんだね？

第28話　私界未分と今永未分

哲「僕がすべて?」という問いに対する答えは、イエス・アンド・ノーだ。

学イエスの方から聞きたいな。

哲それは簡単。たくさん人間がいるのに、君はどれが自分であるか絶対に間違えない。複数の候補者の中から一人選び出すなら、たまには間違えてもよさそうだが、そんなことは絶対に起きない。他の候補者はそもそも存在しないからだ。禅や西田哲学ではこれを主客未分というが、正しくない。主体と客体のではなく、私と世界の区別がないのだから、私界《しかい》未分とでもいうべきだ。永遠の時間の中でいつが今であるかも決して間違えないが、これも実は今しか存在しないからだ。こちらは今永《こんえい》未分とでもいうべきか。

学体については間違えることもあるよ。鏡や映像に映っている他人の姿や、自分の脚と絡んだ他人の脚を、自分のだと思うことはあるから。

哲　その通りだが、物体である体だから間違えうるのではないぞ。記憶や心理状態だって、もし並列的に存在するならどれが自分のであるかを間違えうる。同様に、様々な出来事が並列的に存在する中から、内容の違いを根拠にして今の出来事を選び出さなければならないなら、どれが今の出来事かだって間違えうる。こういう並行関係が重要だ。

学　それならやっぱり、今がすべてなのと同じように僕がすべてなのでは？

哲　いや。どうしてそうは言えないのか、もう分かるのではないかな？

学　他人も僕と同じことを言うから？　僕以外の人だって絶対間違えることなく自分を他人たちから識別できて、なぜかといえば実は自分しか存在しないからだと言うことができるよね？

哲　そうだ。そこに、それしかないものが並んで存在するという矛盾したあり方が実現する。並ぶものがないからこそそれがすべてであったはずなのに。

学　今とか現在とかの場合も同じだね。実はこの今しか存在しないからこそ絶対に間違えないのに、どの今もそれと同じことを主張できる……。

第29話　私の心は特徴によっては識別できない

学　並列的に存在する出来事の中から内容の違いを手がかりにして現在の出来事を選び出すなら、どれが現在の出来事かも間違えうる、という話だったけど、同じように考えれば、並列的に存在する心たちの中から内容の違いを手がかりにして僕の心を選び出すなら、どれが僕の心であるかも間違えうる、ってことになるよね？　でも本当は、間違えうるどころか、どれだか全く分からないんじゃないの？　並んで存在しているものの中に僕の記憶が存在したって、あれが僕のだって分かるわけがないよ。

哲　それはその通り。体が並列的に存在する場合なら、動かせることや感じられることや記憶などが心の側に残っているから、それらを手がかりにしてあれが私の体だと識別することができるが、心が並列的に存在する場合には、そういう手がかりもないからだ。ともあれここで最重要の論点は、体であれ心であれ、それらがどんな特徴を持っていようと、この特徴があるからその体や心は私のだ、といえるような特徴は全く存在しない、という点だ。今に関しても同じことだ。

学　ということは、僕と僕の心や体とはたまたまつながっているだけ、ということだね。そして、どれとつながっているかとどうやって分かるかといえば……

哲　そもそもそれしか存在しないことによってだ。並列の正反対だ。

学　それなのに、他人に関しても同じことが言えるんだよね？　並列的に！

哲　そう。他人たちの言うことを認めることによって並列的な世界像が出来上がるのだ。前に君が使った表現を使えば、並在的な世界像がだ。だが、出来上がった後さえ、今に関しても、私に関しても、普通の物のように、世界の内部に同じ種類のものが複数個並んで存在するというあり方は決して実現しない。どこまでも、この今、この私がすべてであるというあり方が付きまとう。逆に今や私の側から言えば、自分の同類が存在すると同時に存在しないという矛盾したあり方が付きまとうわけだ。

第30話 口が体に付いていることで二つの世界像が架橋される

学 他人の言うことを認めることで並在的なあり方が実現すると言うけど、どうして認めることができるの？ 確かに、たくさん人間がいる中でどれが僕の意識かは端的にそれしかないことで分かるし、どれが僕の体かもその意識が入り込んでいることで分かるけど、他人たちがそれと同じやり方で自分を識別しているかどうかなんて、絶対に分からないのに。

哲 何度も言ってきたことだが、一つの理由は、それと同じことを他人たちも言う、からだ。君は全く違うことだと言うだろうが、ここに言うことの水準における同じことが成立するのだ。これは真に画期的な出来事だったはずだ。そして今や、この水準こそが我々が日々生きている場所なのだ。ここの移行の感覚が分からないと、前に論じたシュークリームの問題（第11話）にしても、その本当の意味は決して分からない。

学 前から思っていたんだけど、同じことを言うって、つまり同じ意味のことを言うってことだよね？　でも同じ意味って何？　そもそも意味って何？

哲　それは簡単に答えられる問いではないが、この場面に限って答えるなら、複数の主体を想定し、それらに共通の事実を作り出す力のことだ、といえる。

学　それによって、言うという水準での同じことを作り出すわけだね。でも、どうしてそんなことができるのさ？

哲　言う口が体に付いているからだ。

学　口が体に付いている⁉　そんなこと、全然あたりまえのことじゃないの？

哲　いや、驚くべきことだ。私が何かを思い、その思いを口に出すとき、私は多くの人の中のどの人がそれを思い、どの体の口からその音が出るか、本来知らない。思いは端的に起こり、音はただ発せられる。ところがそれは必ず、多くの人間の中で哲という名によって識別された一人の男の口から出る。結果的に、それは哲が言ったこととして聞かれることになる。言うことと聞かれることの間のこの落差の抹消によって、相容れない二つの世界像が架橋されるのだ。

第31話　デカルトが言いたいことは決して言えない

学　「僕」とか「私」という語には二つの意味があることになるね？　端的にそれしかないものを指している場合と、たくさんあるもののうちの一つを指している場合と。

哲　さっき私が言ったことが正しければ、その前者の方は意味ではない、つまり意味がないことになる。それだから君が言いたいことは言えないわけだが、それに類することは実は多い。有名なのはデカルトだ。彼は森羅万象を疑って、少しでも疑いうるものは誤っている可能性があるので捨てていき、最後に疑うことのできない、つまり誤っている可能性のない絶対の真理として、疑っている「私」が存在することに達した。この時の「私」は前者の方、つまり実は意味がない方であることは間違いない。彼は自分がデカルトという一人の人間であることも疑い、誤っている可能性のあることとしてすでに捨てていたのだから。

学　それでも彼がそれを口に出して言えば、デカルトという人が思っていることをデカルトという人が言ったことになってしまう、ということだね？

哲　内容においていくらそれを否定することを言っても、それは否定できないことになる。だからデカルトが言いたいことは決して言えないことになるのだ。

学　でも、口に出して言わないで、心で思っているだけなら？　それとか、口に出さないで字で書いたら？

哲　実際には、彼はそれを文字に書いて出版したのだ。著者名をつけてだ！

学　ああ！　書く場合には、著者名が口の役割を果たすんだね！　それなら、もし匿名で出版していたら？

哲　そのことで彼が言いたかったことが言えると思うか？　これがデカルト解釈の分水嶺だ。通常の解釈は、あたかも匿名で出版したかのように解釈する。誰であれ、森羅万象を疑ったとしても、疑っているその自分の存在だけは疑いえない、と。だがむしろ、心で思っただけでそもそも言わなかったかのように解すべきではないか。

第32話　最も見かけ上の存在こそが最も疑う余地なく存在する

哲　「誰であれ、森羅万象を疑ったとしても、疑っているその自分の存在だけは疑いえない」と主張したかのように、デカルト自身も自分を誤解した。彼もまた言語に騙《だま》されたのだ。彼が到達した疑う余地のない真理は、デカルトである自分が疑う余地なく存在することでもなければ、そうした一般的な「私」が疑う余地なく存在するこことでもなかった。疑う余地なく存在するそれは、私界未分の存在だったので、複数の主体に共通の事実を作り出す力である言語によっては、そもそも指すことができなかったのだ。

悟　そんなものが本当に存在するのか？　本当は存在しないとわしは思うが。

哲　おや、悟じいさん、お久しぶり。いやいや、発想そのものを根本的に逆転してもらわないと駄目です。そういう本当は性そのものが疑われているのですから。逆に、最も見かけ上の存在こそが最も疑う余地なく存在することを、彼は発見したわけです。

英語のapparentという語には「明白な」と「見かけの」という一見逆の二つの意味がありますが、この二つは同じことだったわけです。だからこそ、この疑いえなさは「欺く神」が自分を騙していても成り立つのですよ。「欺く神」は、本当は違うことをそうであると見せかける力しかないですからね。

悟　それなら、地球は平らで動かない、ということにならんか？

哲　もちろん、なります。そう見えるという絶対的確実性の上にすべてが成立する、という主張ですから。本当は地球は丸くて太陽の周りを回っているというような本当は性の水準の主張は、その基盤の上にしか成立しないのです。

学　ずっと前におじさんが言っていた、痛みの錯覚はないという話も同じこと？

哲　そうだ。実は神経繊維が興奮していなくても、痛く感じられてしまえば痛みは実在する。ここでは見かけこそが実在だからだ。そして、そこを基盤にしてはじめて本当は性が成立しうるのだ。

学　でも、言語は最初からその基盤を破壊していない？

第33話　言葉が出る口に体が固定しているという事実が「私」という語に意味を与える

哲　たしかに、神経繊維が興奮していなくても痛く感じられれば痛みは実在するということさえ「痛い」という言葉を使ってしか言えないし、見かけこそが実在だと言いたくても、その見かけの成立にさえ言語が介入してしまう、とはいえる。だが、悟じいさんの出現でまた話が逸れてしまったようだ。元に戻すが、話し言葉で書き言葉の「匿名」に相当するものが何だかわかるかね？

学　誰も口を開かずに、言葉だけが発せられて、聞こえてくる場合かな？

哲　そうだ。そういう場合、「私」という語が意味を持ちうると思うかね？

学　デカルトが考えたようなことは伝えられるかもしれないけど、むしろ「私は韓国人だ」とか「私は歯が痛い」といった普通のことが伝えられなくなるね。

哲　つまり、言葉が出る口が他人から識別できる体に固定しているという反デカルト的事実こそが、「私」という語に通常の意味を与えているわけだ。

学　でも、そうだとすると、口という一つのものが二重の働きをしていることにならない？　それしかないからそれが動いてそこから声が出てしまう唯一のものとしての口と、誰もが持っている多数の口のうちの一つで、その誰ものうちの誰であるかを示すための口との。

哲　その通りだ。口が二種の世界解釈を架橋する。君が思わず「歯が痛い」とデカルト的に呟《つぶや》いても、つまり端的にそういう感覚が存在するという事実が口を動かしたとしても、学という一人の人間が歯痛を感じているという客観的な情報が自動的に世の中に伝達されることになるわけだ。

学　同じことは、目についてもいえない？　気づいた時にはもう見えてしまっている唯一のこの光景が、後から、みんなに付いている一対の目のうちの一つが見ていたことにされる、というふうに。

哲　ウィトゲンシュタインという哲学者がそれを幾何学的目と物体的目という対比で指摘したので、目に関しては比較的よく知られている。しかし、本当に重要なのはむしろ口だ。

第34話 誰だかは知らなくても「私」の意味は分かるように、いつだかは知らなくても「今」の意味は分かる

学 とすると、デカルトにはそもそも言いたいことなんかあったはずがないことになるね。僕がデカルトのように考えたんだったら、それでも僕=世界は疑う余地なく存在する、と心で思って、一人で喜んでそれで終わりにするな。

哲 私がデカルトのように考えたなら、その結論をあえて言葉で言って、その後、これは実は言葉では言えないことだと付け加え、その理由について議論する。

学 ああ、それが哲学ということか。「今」についても同じことがいえる?

哲 「今すぐ実行せよ」という発言は、発言された時点で聞くか読めば、今が何月何日何時何分か知らなくても、今やれと言っているのだなと分かる。だが、そう書かれた新聞の社説を数年後に読む人には、いつやれと言っているのか分からない。しかし、幸いにして新聞には上部に必ず日付が記されていて……

学 日付が口の役割を果たすわけか!

哲　そうだ。だが、著者名もそうだったが、これらのものはみな口の機能のうち各人の体に固定している方しか担えない。そこから声が出てしまう唯一のものとしての口の方の機能も担えるのは、今日だと思って日付を書くその時とか、自分だと思ってデカルトが「デカルト」と書く場合だけだ。いずれにせよ、口のようにそれ自体に二つの世界をつなぐ力が備わっているわけではない。

学　「今」という言葉を言われた時点で聞けば、その時点がいつだか知らなくても意味が伝わるというのは、どの口から僕の言葉が出るのか知らなくても、僕はどれが僕であるか絶対に間違えないってことと同じことなんだね？

哲　その対応関係は非常に重要だ。

学　でも、それってみんなが同じ今にいるという前提に立っているよね？　どうしてそうだと分かるの？　僕が「今すぐやって」と言ったら相手がすぐにやってくれても、僕の今と相手の今が一致しているとは限らないよね？　相手の人にとってはそれが過去であっても絶対分からないよね？

第35話　今とは私の今でしかなく、私とは今の私でしかない

学　僕の今と彼の今がずれていても絶対に分からないよね？　僕が「君もこれが今？」って聞くと、彼が「うん、これが今だよ」って答えるのは、彼が僕の今においてそう言うだけのことだから。

哲　私が世界に与えている今性を度外視すれば、「これが今だよ」という発言はただある特定の時点で起こるだけだ、とはいえる。だからといって、その時点が彼にとっては過去や未来かもしれないとはいえない。彼の知覚機能に欠陥があって音が数分遅れて聞こえるというような発覚可能な経験的事実の想定でないとすれば、実は他人と今がずれているかもしれないなどと想定することはできない。君が言いたいことはむしろ、今とはそもそも私の今にすぎない、他人には今がない、ということだろう。

学　うん。僕の今にみんなが現れてきている。それだけのことだと思う。

哲　今が世界の持つ客観的性質でない以上、そう見えるのも当然だ。さっき話した

私界未分の見地からすれば、それはむしろ自明の事実だとさえいえる。だが、もしそうであれば、同様にして、今永未分の見地からして、私とは今の私でしかないことにもなるはずだ。

学　そう思うよ。僕って本当は今の僕だけだって。前にやった僕の分裂の思考実験から考えると、未来において今の僕の記憶を持っている人が僕だとは限らないよね。分裂なんかしなくたって。逆に、今の僕は過去の僕と記憶でつながっているだけだから、この僕は本当にずっと学くんだったかどうか分からないし、それどころかずっと存在していたかどうかも分からない。デカルトの言う通り、確実なのは今存在していることだけだと思うな。

哲　その世界解釈では、結局、私と今が一致する。だが、私界未分で今永未分でもあるから、〈私＝世界〉＝〈今＝永遠〉となって、結局、全部一致する。

学　そうなんじゃない？

哲　二つ問題がある。他人も全く同じことが言えることと、君はそれをその口からしか言えないことだ。

第36話 私を単なる一個人として世界から分化させ、今を単なる一時点として永遠から分化させる力

学 他人も全く同じことが言えてしまうというのは、〈私＝世界〉＝〈今＝永遠〉という状態が他人にも成り立ってしまうということだね？ ということは、今じゃない時点でも成り立ってしまうということにもなるね？

哲 そうだ。今でない時もそれぞれ今だから。他人もそれぞれ私であるように。

学 僕がそのことを学という人間の口からしか言えないというのは、言った瞬間に私＝世界ではなくなってしまうということだね？ ということは、特定の時点でしか言えないということにもなるね？ だから、言った瞬間に今＝永遠でもなくなってしまうわけだね？

哲 そう。二つの方向から君の言おうとしていることを言えなくさせる力が働く。しかし、その言えなさはきわめて重要だ。それこそが、私界未分状態から私を単なる一個人として分化させ、今永未分状態から今を単なる一時点として分化させて、万人

に対等に広がった我々のこの世界を初めて成立させるのだから。

学　そのことは分かるけど、二つの方向からという点が不思議で、その二つが矛盾していているような感じが……。

哲　それは極めて重要だから後でゆっくり議論しよう(↓第75話)。ともあれ、その力が働くことで私が世界から分化するということは、他者もまた同じく口を持つ者として私と対等の存在となることを意味する。

学　つまり、それは後から作られたお話なんだね？

哲　そうだとしても、それこそがあらゆるコミュニケーションの前提なのだ。

学　今が永遠から分化する方についても同じことが言える？　この今が日付や時刻で置き換えられて、他の時点にもそれぞれ今があることになり、この今もそれらのうちの一つにすぎなくなることで、今の僕が過去や未来の僕とコミュニケーションできるようになるの？

哲　そうだ。それこそが記憶ということの本質だ。なぜ記憶が可能かについて、脳の中に記憶を蓄える仕組みがあるといった的はずれな説明をする人が多いから注意が必要だ。

第37話　記憶は過去の自分という同格の他者とのコミュニケーション

哲　君はそもそも記憶というものが可能なのはなぜだと思うかね?

学　脳の中に過去に経験したことを蓄える仕組みがあるからじゃないの?

哲　脳の中に何があろうと、それが過去に経験したことを蓄えているとなぜ分かるのだ? 君が昨日激辛カレーを食べ、今君の脳にその味の感じが蓄えられているとして、それが昨日食べたカレーの味の記憶だとどうして分かるのだ?

学　確かに、最終的にはそう信じているだけだね。過去の事実と比べてみることはもうできないから。どんな実験をしたって、そのことを確かめることは原理的に不可能だね。

哲　いや、原理的に不可能なのに、どうしてそう信じることならできるのだ?

学　ああ、なるほど。原理的に記憶以外のルートが存在しないなら、そもそも信じるべき何かもありえないわけか!

哲　知覚の場合なら、体をぶつけたり触ったりして見えたものの存在を別ルートで捉えることができるから、見た通り在ると信じることに意味がある。だが記憶は過去とつながる唯一のルートで、他のルートはすべて記憶に依存しているから、過去が記憶通りに在ったと信じる際に何をしているのかがそもそも分からない。

学　他人の記憶というルートは？

哲　他人だって記憶しかないという点では同じだ。それに君はもし他人がいなかったら自分の記憶を信じないのか？

学　それで、他の時点もそれぞれ今で、この今もそれらのうちの一つにすぎない、という話が答えになると言うの？

哲　そうだ。記憶は外界の知覚と違って、自分と他人との会話と同様、過去の自分という同格の他者とのコミュニケーションなのだ。もちろん同じことは現在と未来の間にも成り立つ。だから、記憶と過去の事実の間に成り立つ懐疑論は、他人とその意識の間に成り立つ懐疑論と同型で、他人は意識のないゾンビかもしれないという懐疑論がコミュニケーションの現場では働かないのと同じ理由で、記憶の現場では働かないのだ。

第38話　問われうるということのうちにその答えがすでに示されている問い

学　コミュニケーションの現場では働かないというのは、実際に話している時には相手がゾンビかもしれないなんて疑えないという意味？　それなら僕は今、おじさんがゾンビかもしれないって疑っているんだけど……。他人の場合も過去の自分の場合も、やっぱりこちら側からの一方的なルートしかないと思うよ。

哲　いや、私も君に関してそれと同じことができるのだ。そして、君が言うことを私が理解するとき、私は私ができるのと同じ意味で理解するしかない。だから君の疑いは、その疑いが言語で表現されることにおいて、すでに解決されてしまっている。

学　じゃあ、言わなければいい！

哲　しかし、言わないことができるだろうか？　一人で心の中で思うときだって心の中で言っているのではないか？

学　記憶の場合は違うんじゃない？　僕が記憶している過去が実際にあったかどう

かを疑うとき、過去の側もこちらを疑っているなんてことはありえないから。

哲　いや、そうではない。現在の君の記憶が過去の事実を再現していることが疑える以上、同様に、してどの時点の君もその時点の記憶が過去の事実を再現していることを疑える。その点においてどの時点も同格なのだ。つまりその問いは、まさに問われうるということのうちにその答えがすでに示されているのだ。

学　それなら、前に問題にした、今から急にこれまでの物理法則が成り立たなくなるかもしれないという問題だって同じことじゃないの？

哲　その通り。そして、このことは実は記憶どころか時間という概念そのものを成り立たせる根拠となっているから、過去に関しても未来に関しても、そうしたことをもし本気で根っこから疑うなら、普通の意味での時間の流れという観念そのものが成り立たなくなるのだよ。

学　過去や未来でなく他人の存在は？

哲　そちらは実は言語コミュニケーションどころか言語という概念そのものを成立させる根拠となっているから、やはりその存在を疑うことができない側面が確実にある。

第39話　僕が悟じいさんになることと今が三〇年前に戻ること

学　もしそうだとすると、僕がいつも考えていることはそもそも考えられないことになるかな？　僕が考えているのは、なぜ僕であるという特殊なあり方をした人が存在していて、なぜそれが学くんという一人の人間でもあるのか、ってことなんだけど、だから当然、この学くんが存在していてもそいつが僕じゃなくて、僕は存在しない場合とか、僕が学くん以外の人として存在している場合とかも考えるし、学くんが突然僕でなくなってただの人になって、この世界が学くんはいるけど僕はいない世界になってしまう場合とか、僕が学くんでなくなって例えば悟じいさんになってしまう場合とか、そういうことを考えるんだけど、こういうことは考えられないことなの？　僕はいつも現に考えているんだけど……。

哲　僕でなく今で考えると、その問題はタイムトラベルの可能性の問題になる。この世界全体が突然三〇年前に戻ってしまうような特殊なタイムトラベルだが。今突然、この世界全体が三〇年前に戻ったとしよう。この時点から戻ったという事実はその世界のどこにも与えられていないから、ただ普通に一九八四年の二月二日であるだけだろう。

学　でも、世界はその後の三〇年間だけ実は二回やることになるよね？

哲　神が存在すれば、そこだけ二回やったことを見ているだろうが、世界の中にいる者は誰もそれを経験できない。それでも実は二回だということに何か意味があるだろうか。私はないと思うが。

学　それはつまり、僕が悟じいさんになったとしても、ただ普通にずっと悟じいさんであっただけ、ということ？

哲　その通り。なってもならない。

学　世界は僕から開けていたのに、悟じいさんから開けた世界に変わるよ！

哲　その変化を経験できる主体は存在しない。第三者から見れば、悟じいさんも学くんも普通に存在するだけだし、その二人自身にとっても、以前から普通に自分として存在していただけだから。

学　その二人じゃなくて、僕は？

第40話　今がただ今でだけなることと、私がただ私でだけなくなること

哲　君がなった、その悟じいさんは最初から普通に悟じいさんであるだけだから、現状と何も変わらない。

学　やっぱり、神様がいなきゃ駄目か！　なんだか急に神様がいるような気がしてきた……。でも、一つ疑問があるんだけど。今が三〇年前に戻る場合は、その後の三〇年を実は二回やることになったけど、僕が悟じいさんになる場合は、その二回ということにあたる事実がないよね。それはどこに現れるのかな？

哲　素晴らしい！　そういう問いこそが哲学的な問いなのだ。だが、答えは意外に簡単で、君が悟じいさんになるという事実そのものだ。今は通常でも移動しているから、今起こっている出来事はその内容を全く変えずにただ今でだけなくなることができている。だから、異常な想定の異常さは、通常はない二回というところにのみ現れる。しかし、私は通常移動していないから、私である人はその内容を全く変えずにただ

だ私でだけなくなることができない。だから、異常な想定の異常さは、移動ということそのものに現れるのだ。

学　でも、学右と学左に分かれたあの話は？　僕だって中身を全く変えずにただ僕でだけなくなることができたよ！　神さまなんかいなくても。だから、二回ということに対応するのは……

悟　あのなあ……。

哲　悟じいさん、またご登場で？

悟　またわしの名が何度も出たのでな。学くんの問いの意味はわしにも分かった。答えは簡単。「学」が色《しき》で「僕」が空《くう》で、答えは色即是空。それが無我という真理の真の意味じゃ。二回に対応する事実がどうしたとか、そういった話はすべて無駄話じゃよ。学くんは人生の問題で悩んでいたのだから、屁理屈《へりくつ》をこね回すような話は要らない。人生をどう生きたらよいかの智慧《ちえ》は、この真理の内にすでに完全に与えられておって……

第41話　色即是空と空即是色

学　学という人が僕であるということが色即是空で、そのことがすなわち無我ということなのだとすると、無いと言われているその我とは、僕じゃなくて学のことなんだね？　ふつう、無我といえば僕のほうが無いということだと思うけど。

悟　そうではなくして、世間で学くんと呼ばれているのは実はその「僕」のことなのだから、この世に実在するようなものではない、ということじゃ。それがすなわち色即是空。これで人生のすべての問題は解決じゃ。ハッハッハ。

学　もしかして、「僕」ではなくて「今」についても同じことがいえる？

悟　もちろん。本当は今がすべてで今しか存在しないのだが、すべてである今なんぞというものはこの時間の中に実在するものではない、ということじゃ。

哲　後学のために伺いますが、ふつう色即是空は空即是色と一緒に言われるように思いますが、悟じいさんの解釈では空即是色のほうはどうなりますか？

悟　同じことじゃよ。今なんぞというものはこの世界に実在するものではなく、実在するのは何年何月何日何時何分何秒という、今であろうとなかろうと成り立つような事実だけ、ということじゃ。「僕」の方でいえば、特定の両親から生まれて特定の人生を経過してきて、いま僕がどうしたこうしたといった変てこなことを考えてつまらぬことで悩んでいる少年がおって、その少年にもまた誰にでもあるように普通に自己意識があるという事実があるだけ、ということじゃ。

哲　なるほど、どちらの観点に立つかによって、実在しないものが逆転するわけですな。

学　でも、本当は空だ、ということだから、本当は今や僕の方が実在している、ということでしょ？

悟　そうではあるが、それは空なのだから、もちろん実在しない。

学　実在しないものが真の存在なんだ！　でも、なぜそれが人生の問題の解決になるの？

第42話　驚くほど虚無的な教え

悟　そもそも僕などというものはこの世界には存在していないのだから、その僕である君は、この世界の中に存在する学くんのことを含めて、この世界の中の問題など何も気にすることはないのだ。

学　でも、そうすると、問題はなくなるかもしれないけど、面白いことも大事なことも何もなくなっちゃわないかな？

悟　そう。何もない。しかし、面白いことはある。それがつまり空即是色じゃ。空の観点に立って色とりどりの俗界の出来事を笑って眺めれば、すべてが面白い。ぐるっと一回転して元々と同じところに戻っているが、その意味は全く違っているわけじゃよ。そして、そんなことにも飽きたころにはちゃんと死んでゆける。めでたしめでたしじゃ。

学　あ、悟じいさん！　神出鬼没だ！

哲　悟じいさんの言ったことは理解できたかね？

学　理解はできたけど、納得はできなかったな。だって、色とりどりの俗界の出来事を笑って眺めるなんて、外からただ面白い映画かなんかを見ているだけみたいじゃないか。そんな人生を生きたくはないよ。

哲　悟じいさんの仏教的世界観には一切皆苦という前提がある。

学　一切皆苦ってすべてが苦しみだということ？

哲　そうだ。その苦しみを空の視点からあたかも映画でも見るかのように眺めることができれば、その苦しみから自ずと脱することができるわけだ。

学　でも逆に、元々すべてが楽しいという世界観に立っている人から見たら？

哲　驚くほど虚無的な、悪魔の教えのように見えるだろう。哲学的に興味深いのは、この世界の成り立ちにそういう逆転を可能にする構造が内在しているということだ。

学　僕はね、ちっとも楽しくなくて、本当のことを言えば、すべてが苦しいんだけどね。でもね、それでもね、鎮痛剤を飲むみたいにこの苦しみを鎮めたいとは全然思っていないよ。

第43話 鎮痛剤を飲むのか覚醒剤をやめるのか

哲 鎮痛剤？

学 鎮痛剤って、痛みを引き起こしている原因そのものを取り除くのではなくて、痛みを感じる感覚の働きのところに作用して、その働きのほうを抑えてしまうんだよね。悟じいさんの話はそれに近い感じがしたんだ。僕は人生の問題を、薬を飲んで痛みを抑えるような仕方で解決したいとは思わないよ。

哲 それは立派な考えだ。しかし、問題はそれほど簡単ではない。一般に比喩というものにはつねに用心してかからねばならない。アナロジーにはつねにディスアナロジーがともなうからだ。第一に、かりに鎮痛剤の比喩に則って語るとしても、この場合の「痛み」には実は外部に原因がない可能性がある。君が感じている「痛み」は外部の原因なしに「感覚の働き」に当たるところで始まっているのかもしれない。第二に、そうだとすれば、薬の比喩を逆に使うこともできるはずだ。つまり、悟じいさんは鎮痛剤を飲むことを勧めたのではなく、逆に、われわれがいつも飲んでいる覚醒剤を飲むのをやめるように勧めたのかもしれないだろう。

学　空という鎮痛剤を飲めばよいのだ、と言ったのではなくて、色という覚醒剤を飲むのをやめればよいのだ、と言ったわけか。ああ、そうだったのか！

哲　いや、そう取ることも可能だ、と言っているだけだ。決めるのは君だ。

学　うーん。その問題にもすごく興味があるんだけどね、でもそれはまた悟じいさんが出てきたときに聞くことにして、今は悟じいさんが出てくる前に僕が話そうとしていた問題に戻りたいな。

哲　悟じいさんが屁理屈をこね回すような無駄話だと言っていた、二回に対応する事実の問題かね？

学　そうだよ。僕が学右と学左に分裂したとき、僕がなぜか学左だったとすれば、学右のほうは内容を全く変えずにただ僕でだけなくなったことにならない？　悟じいさんが色即是空の話をしたあの時点が、内容を全く変えずにただ今でだけなくなっているように。

第44話　移動は痕跡を残さねばならない

哲　そうだが、学右のケースは私の消滅であって移動ではないだろう。今が三〇年前に戻るという想定では、二〇一四年は確かに内容的には全く変化せずにただ今年でだけなくなるとはいえ、それとともに一九八四年が内容的には全く変化せずにただ今年であるようにだけなる。つまり、ただ今年であることだけが二〇一四年から一九八四年に移動するわけだ。にもかかわらず何も変わらないというのが論点だった。

学　僕が悟じいさんになるという想定の場合は、学は内容的には全く変化せずにただ僕でだけなくなるけど、それとともに悟じいさんが内容的には全く変化せずにただ僕であるようにだけなる。つまり、ただ僕であることだけが学から悟に移動することになる。この場合も、にもかかわらず何も変化しないんだよね。

哲　だが、今であることの方は通常でも移動しているという違いがある。悟じいさんが登場して色即是空の話をした時に起こっていたことは、内容的には全く変化せずにただ今でだけなくなってはいるが、その代わりに、その時のことを思い出して我々二人で話しているという出来事が今になっている。つまり、今が移動したわけだ。ただし、この場合にはただ今であることだけが移動したとはいえない。なぜなら、今我々は悟じいさんが色即是空の話をした時の記憶をもっており、それを前提にした話をしているからだ。つまり、この今という移動先の内容の中に移動の事実が刻印されている。

学　そういうやり方で、僕が悟じいさんになることもできるよね？

哲　できる。とはいえるが、その場合には、君がなったということを示す事実が——たいていは学くんだった時の記憶だが——君がなった悟じいさんの内容の内に刻印されることになるから、厳密な意味で悟じいさんそのものになったとはいえない。私の移動には今の移動と違って普通の移動の仕方というものがないから、移動の刻印はつねに逸脱の痕跡なのだ。

第45話　時間の経過の二つの意味

哲　今には通常の移動の仕方があるということから、時間の経過は実は二つの要素から成り立っていることが分かる。通常の移動のその通常さによって定義された移動と、通常さを度外視した剝き身で捉えられた今そのものの移動だ。

学　そうすると、僕が移動することにも二つの意味があることになるね?

哲　そうも言えるが、今の移動はそれに相応しいつながりをもった通常の仕方でいつも起こっているのに対して、私の移動のほうはそもそも通常は起こっていない、という違いがある。今には通常の移動の仕方というものがあるから、それに反する移動の仕方をすると、後で同じことをもう一回やるというような辻褄合わせが必要になるが、私には通常の移動の仕方がそもそもないから、それと違う移動の仕方をしたときに後から辻褄合わせをしなければならないというようなことも起こらないわけだ。

学　私のほうだって通常の移動の仕方はあると思うよ。僕が分裂する思考実験の場合で言えば、分裂後になぜか僕だった学左は、通常の移動の仕方でも移動したし、剝き身の僕も移動したわけだから、二つの意味で移動したけど、なぜか僕でなかった学右のほうは、通常の移動の仕方の意味では移動したのに、なぜか剝き身の僕は移動しなかった、ということだよね。僕が悟じいさんになるとか、そもそも一六世紀のドイツ人だったら、という想定の場合にはその逆で、通常の移動の仕方の意味では移動しないで、剝き身の僕だけが移動した、ということなんじゃないの？

哲　事柄の分類としてはその通りだが、言葉の正しい使い方としては、悟じいさんになる場合以外は、どれもそもそも移動とはいえないだろう。まず学左の場合は、どちらの意味でも君は移動せずに継続している。学右の場合、通常の継続の仕方の意味では継続したのに、なぜか剝き身で捉えられた君は継続せずに消滅した、ということだろう。

学　僕が一六世紀のドイツ人だったらという想定の場合は？

第46話　私や今がこれから移動するのではなくもともとそうであったと想定する場合

学　僕が一六世紀の人だったら、それは五〇〇年前のことなんだから、僕が移動するだけでなく、今も移動することになるよね？　そうするとやっぱり、世界はこの五〇〇年間だけ二回やることになるんじゃないの？

哲　それは違う。君は今から一六世紀の人になるのではなく、もともと一六世紀の人である、と想定したのだから、そもそも君は移動などはしていないし、だから当然、今の移動も起こっていない。

学　なるほど。二一世紀の日本人である僕がこれから一六世紀のドイツ人になったらと考えると、僕の移動が今の移動を含むことになるけど、もともと一六世紀の人だったらと考えると、僕の移動もないから今の移動もないわけか。それで、悟じいさんになる場合以外は、どれもそもそも移動ではないことになるんだね。

哲　今の移動にも、私の継続にも、それぞれ二種類の意味があるわけだが、事実とうわけだ。
異なる場合の想定の仕方には、そもそも移動や継続ではない想定の仕方がある、とい

学　それなら、今が三〇年前に戻るほうでも同じだね。戻るんじゃなくて、単に今が一九八四年だったらと考えることもできるから。

哲　その通りだ。しかし、三〇年前に戻ったらと考えるのと、もともと一九八四年だったらと考えるのとは、本当に違うことだろうか。問題は、その二つが結果的には同じことになってしまうことにあるのではないか。

学　なるほど、そういうことになるのか。

哲　ところで、悟じいさんはこういう理屈をこね回すような話は無駄だと言っていたが、君はこういう話がずいぶん好きそうだね。

学　すごく好きだよ。こういうことを考えて、新しいことが分かると、その瞬間だけ生きてる感じがする、というか……

哲　その瞬間だけか！　それなら、さらに続きを考えよう。問題は剝き身の今や剝き身の私の移動を想定すると、移動の事実がきれいに消えるということにある。

第47話　素っ裸でなくなってちゃんとした服を着ないと客観的に実在できない

学　なぜ？　なぜ消えるの？

哲　移動を語るための基盤自体の移動を考えてしまっているから、実は考えることさえできないからだろう。

学　だから、結果的に、移動していないのと同じことになるの？　今の瞬間、世界全体が十倍の大きさに膨らんだと想定してみても、結果的には何も変わらないのと同じこと？

哲　大きさはそもそも関係であって実体ではないからね。それ自体で存在することはできないわけだ。

学　でも、僕や今はどんな関係とも独立になぜか存在するんじゃないの？　哲おじさんも悟じいさんも安倍首相も……、みんな僕ではなくて、なぜか学というやつが僕であるという事実や、一六世紀も二五世紀も……みんな今世紀ではなくて、なぜか二一世紀が今世紀であるという事実は、おじさんの言い方で言えば、剝き出しの事実、つまり素っ裸の事実で、関係の中で成り立つような事実ではないんじゃないの？

哲　問題は、それなのに、その素っ裸の事実が、継続したり移動したりすることを想定すると、その素っ裸さがきれいさっぱりと消え去るということにある。つまり、素っ裸な側面と色々なものを着ている側面との二面性が問題の根源だ。

学　それが継続したり移動したりすることを想定するときだけでなく、それについて言葉で何か言うときにもだよね。

哲　それはつまり、素っ裸でなくならないと客観的に実在できないということでもある。客観的にとはつまり関係的にということだから。

学　そこのところが僕にとっては人生の問題そのものなんだけど。哲学的には、前におじさんが言っていた口の話ともつながっているよね？

哲　口は素っ裸のものに体という服を着せて、それに客観的な実在性を与える。それによって他者と言葉を語り合うことが初めて可能になるのだから、それはまちがいなく重大な事件ではある。しかし、そもそもそれ以前にもっと重大な……

第48話　我々が論じているのは心と体の結びつきの問題ではない

学　そうか！　それ以前に、その口から出ることになる色々な思いと、その思いが僕の思いであるということのつながり、という問題があるんだね。僕が悟じいさんになるという思考実験は、そこに楔《くさび》を打ち込むための思考実験で、学の思いが出る口が悟じいさんの口に変わるというような問題ではないわけだから……。

哲　こういう図で描くと分かりやすいかな。最初の図(第1図)は並在的世界像だ。形の違いは体や外見の違いを表している。体の中の色の濃い部分はそれぞれの人の心を表していて、その形の違いは心の内容の違いを表している。こちらはもちろん外からは見えない。このような世界像で、学くんが悟じいさんになると言えば、星型の心が楕円形の体の中に入ることを意味するしかない。次の図(第2図)は特在的世界像だ。世界は現実にはなぜか学くんの目からだけ見えており、現実に存在する思いはなぜか学くんの口からだけ出る。だから、世界と学くんの心は一致している。その次の図

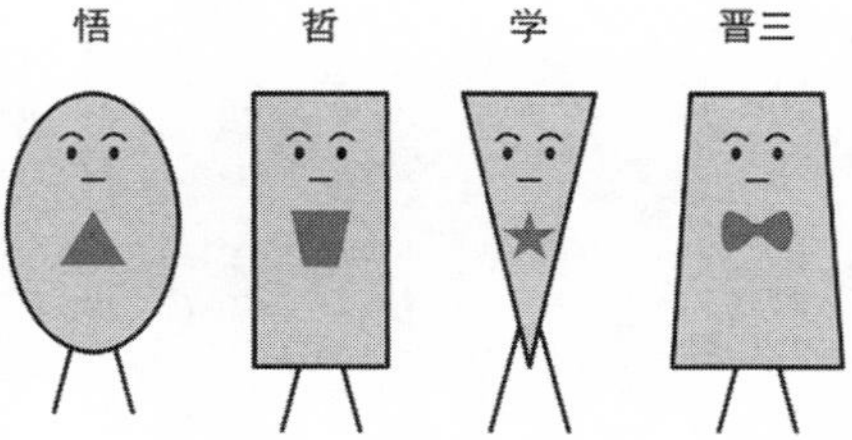

第1図

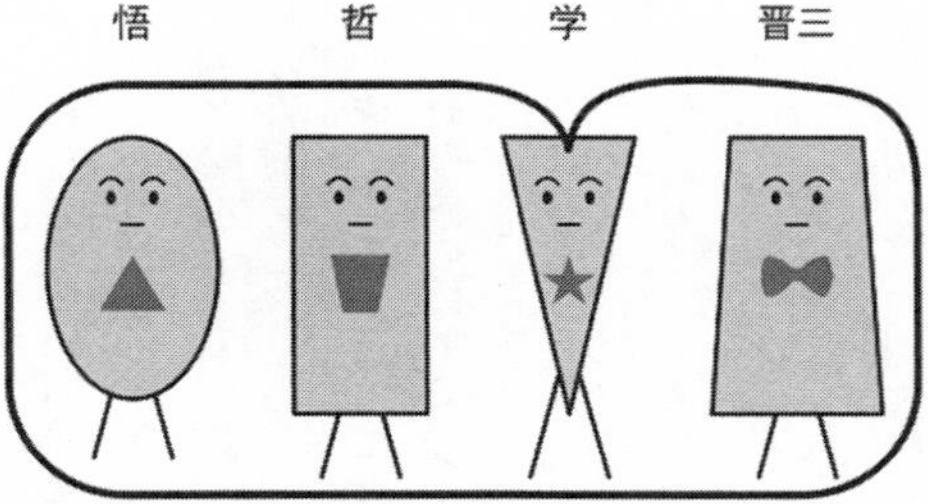

第2図

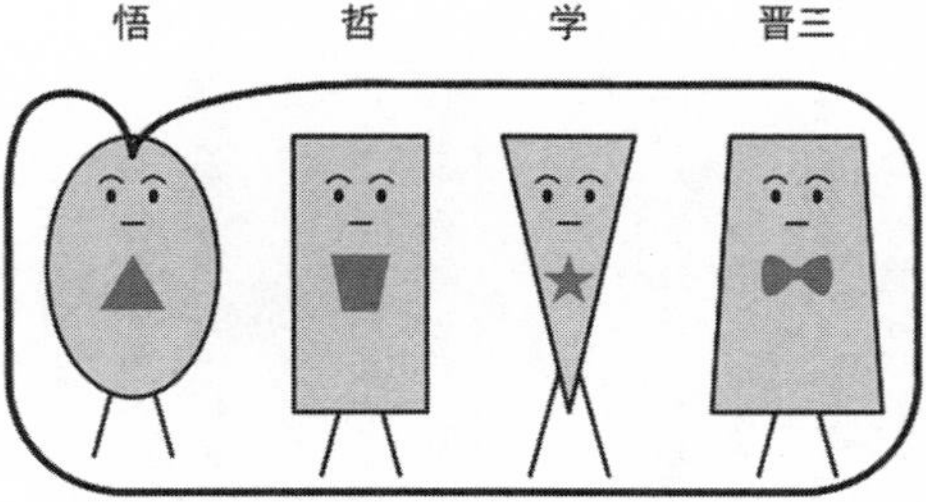

第3図

（第3図）は、そういう世界の開けの原点が悟じいさんに移った場合だ。第2図から第3図への移行が特在的世界像における移動であるわけだ。

学　第2図では、この逆三角形のやつには三つの関係があるわけだ。逆三角形の体と星型の心の関係。逆三角形の体についている物体としての目玉とその目玉の位置からだけ現実に世界が見えているという特在的視覚との関係、つまり体とそれが僕の体であることとの関係。そして星型の心とそれが僕の心、つまりなぜか現実に与えられている唯一の心であることとの関係。

哲　知覚というものを心の働きと考えれば、心を真ん中にはさんで、体－心－僕という関係だともいえる。体とそれが僕の体であることとは、心を媒介にしてしかつながれない、というように。

学　だとすると、特在というのは心のあり方だということになるの？

哲　いや、逆に解釈することもできる。心というものは実は特在的なあり方を並在的な世界像にうまく埋め込むために発明されたものだ、とね。言語の助力を受けてそれは成功した。この解釈においてこそ、口の二面性が決定的な役割を演ずることになる。だが、我々はそれが完璧に成功し終わった後の世界に住んでいるから、その成功のさまを言語で語るのは至難の業だ。この図も、逆の解釈は表現できていない。

学　人々は心と物との関係という問題にもう囚われ切っているから、そういう道筋はなかなか理解してもらえないね。

哲　これは、伝統的な哲学用語でいえば、本質と実存の関係の問題で、これまでは「私」と「今」を例にして語ってきたが、神のようなものについても、あるいは世界そのものについても成り立つ、実は一般性の高い問題だ。

学　実存って実存主義の実存？

哲　そうだ。英語でいうbe動詞の使い方のうち、「～である」が本質で、「～がある」が実存だ。日本語で考えると少し変だが、アリストテレス以来の伝統的な存在論では、「存在」の二つの意味だと考えられている。

第49話　そもそも存在しないものでも「絶対確実に」存在できる

哲　「我思う、ゆえに我あり」は、英語で言えばI think, therefore I am. で、このamが実存の意味のbe動詞だ。解釈の仕方によっては、この文は本質から実存を導き出している、ともいえる。

学　本質から実存を導き出している？　ということは、「思う」ことが「私」の本質で、その本質をもつ以上「私」は必ず「在る」、と言っているということ？

哲　そうだ。歩くことは「私」の本質ではないから、「我歩く、ゆえに我あり」とはいえない。「私」であれば必ず思うが歩くとは限らないからだ。その上、歩いていると思っても実は歩いていない場合があるが、思っていると思えば必ず思っている。ゆえに、思っていると思うならば、その私は必ず存在している。

学　でも、たとえば小説の中の登場人物がデカルトのように考えて、「私は今確かに思っている、だから私は間違いなく存在している！」と言ったら、どうなる？

哲　そいつがそう思ったなら、そいつは間違いなく存在する。ただし、もちろんそいつにとっては、だが。

学　「そいつにとっては」だとしても、「そいつ」なんてそもそも存在していないのに？

哲　いや、その小説の中では、そいつは存在する。そして、そいつがそう考えた以上、そいつはそいつ自身にとって疑う余地なく、絶対確実に、存在する。

学　でも、それは本当の存在の仕方じゃないよね？

哲　それが本当の存在の仕方ではないと言うなら、小説の中ではなく、この現実世界において、誰か他人がデカルトのように考えた場合だって同じことではないか。その人が「私は今確かに思っている、だから、私は疑う余地なく存在している！」と言ったとしても、所詮は言葉の上でのつながりに由来する確実性にすぎないのだから、疑う余地なく存在するその存在の仕方は、疑う余地がないにもかかわらず、本当の存在の仕方ではない、ということになるだろう。

学　そうなんじゃない？

第50話 デカルトの「私の存在証明」が他人に伝えられうるなら「神の存在証明」だってできる

学 他人は小説の中の登場人物と同じだと思うよ。だって、他人なんだから、本当は私じゃない。

哲 しかし、そもそもデカルトは他人ではないか！ なぜか多くのデカルト解釈者はそこを問題にしないが、真の哲学的問題は当のデカルト自身が我々読者にとっては実は他人であって、私ではないということにあるのだ。デカルトを読んで理解し、その通りだ、と思ったとき、疑いえない実存は、その本質から導き出された本質としての実存にすぎないものとなっている。

学 そうか。僕自身の場合だけ、本質としての実存ではない、剝き出しの実存、素っ裸の実存が直接つかめるんだ！

哲 西洋哲学史においては、その問題は「神の存在証明」という試みの中で出て来た問題で、デカルトの「私の存在証明」は、そのパロディとして理解できるものだ。

学　神の存在が証明できるの？

哲　できる。もしデカルトの「私の存在証明」が他人に伝えられうるならば。

学　他人に伝えられうるならば？

哲　神の本質から神の実存を証明する証明の仕方を「存在論的証明」という。やり方は簡単だ。神が当然持つと思われている本質的な性質を提示して、それが神の存在をも含意していることを示せばよいのだ。たとえば、神は「完全である」という本質を持つと考えられている。しかし、完全といった本質を満たすためには、神は現実に存在していなければならない。もし存在しなければ、存在する場合に比べて欠けるところがあることになって、完全でなくなってしまうからだ。ゆえに、神は存在する。証明終わり。

学　それって証明になっている？　言えることはせいぜい、神が完全だと思われているなら、神は存在するとも思われているのでなければならない、ということじゃないの？

哲　しかし、そう思われているだけでは完全さに欠ける。完全であるためには現実に存在もしなければならない。ゆえに、やはり神は現実に存在する。

第51話　「神の存在証明」はできないから、「私の存在証明」も他人に伝えられない

学　それでもやっぱり、現実に存在すると思われているのでなければならない、ということにすぎないのでは？

哲　ふたたび、しかしそう思われているだけでは完全さに欠ける。完全であるためには……。ということになって、以下同様。

学　なるほど、面白い議論だとは思うけど、それがデカルトの「私の存在」の証明とどうつながるの？

哲　デカルトの場合も、本質から実存を導き出す存在論的証明として理解可能だとすると、同じ問題が隠れていることになる。

学　ああ、そうか。神の場合に僕が言ったのと同じことで、「私」が思っていると思われているなら、その「私」は存在するとも思われているのでなければならない、ともいえるということだね？

哲　そうだ。思っているなら存在することになるというつながりもまた、他人の「私」が問題である場合には、完全なら存在することになるという概念上のつながりと類比的な、ある種の概念上のつながりにすぎないものとなるからだ。そして、他人が言う「我思う、ゆえに我あり」を理解する場合には、そういう意味で理解せざるをえない。

学　さっきおじさんが言っていた、デカルトの「私の存在証明」が他人に伝えられるなら神の存在も証明できる、というのはそういう意味だったんだね。でも、それなら逆に、神の存在は証明できなかったのだから、デカルトの「私の存在証明」も他人に伝えられない、ともいえるよね。僕はそっちのほうが正しいような気がするんだけど……。

哲　そう。どこまでも概念関係の内部に閉じ込められて、その外の現実に出られない、とは言える。出たと思っても、それは結局「現実」という概念の内部にすぎない、と。

学　デカルトという他人が言うことを理解する場合にはそうなるけど、僕が僕自身の存在をデカルト的なやり方で証明する場合には、概念の外の現実そのものに達しているよ、疑う余地なく。

第52話　客観的世界の存在についての存在論的証明

哲　だが、その疑う余地のなさを君は他の人に決して伝えられない。伝わったときには、誰かが思っていると思うなら、そのことで思いの主体の存在が証明される、という誰にでも成り立つ概念的な関係に変質してしまっているからだ。

学　そういう意味に解釈されて賛成されちゃうところが問題なんだね。だとすると、デカルトの「我思う、ゆえに我あり」は有名になって、世の中に広まったけど、誤解が広まったってこと？

哲　哲学史的に見れば、その誤解がカントに始まるドイツ観念論哲学を生むことになった。ちょっと専門的な話になるが、ついでに説明しておこうか。カントは、「我思う、ゆえに我あり」が成り立つという事実だけから世界が客観的に存在することを証明できる、と言ったのだ。

学　今度は客観的世界の存在証明？

哲　その通り。そしてこれまた、神の存在に関するあの存在論的証明と同じ、本質から実存を証明するやり方だった。「我思う、ゆえに我あり」が他人からも賛同される場合、この「我」は、時間の中で継起的に起こる「思い」をひとつにまとめている主体、ということになる。デカルトはそういうものが存在しなければならないと言ったことになるが、しかし、そうだとすると、たとえ森羅万象が「我」が「思う」ことの内部に、「思い」の対象としてあるとしても、時間だけはその外部に存在すると考えなければならないことになるだろう。ところが、前にちょっと触れたように(第26話)、時間が経過するには外界で物体が運動していなければならない。したがって、「我思う、ゆえに我あり」が成り立つためには客観的世界が存在していなければならないことになる。

学　そういうことなら、神が世界を創造するためにだって、時間が存在することは前提されていない？　だって、創造するって、無い状態から在る状態にするってことでしょ？　ほら、もう時間が在る！　だから、神は時間だけは創造できない。

哲　鋭い！　だが、少し違う。

第53話　登場人物が思考実験するだけで小説の世界は客観的に実在することになる

哲　君の議論からは、だから、もし神が世界を創造したのだとすれば、それはこの時間の中の出来事であることはできない、と論を進めることもできる。それに対して、「我」が「思う」のは、どうしたって時間の中の出来事であらざるをえないだろう。たとえ物体は思われているだけの存在だとしても、たとえ過去は思い出されているだけの存在だとしても、思ったり思い出したりするのにも多少の時間はすでにして必要とされてしまう。だから、時間は思われている対象であることはできないことになる。まして、「我思う、ゆえに我あり」などと考えるには、かなりの時間がかかるはずだ。

学　でも、それはやっぱり一種の存在論的証明なんだよね。ということは、神や私の存在論的証明と同じように、本当は証明になっていない、ということ?

哲　そうもいえるし、逆に、現実には存在しない世界の客観的実在性まで証明されてしまう、ともいえるだろう。

学　小説の中の登場人物がデカルトのように「我思う、ゆえに我あり」と考えたら、そいつなんてそもそも存在しないのに、疑う余地なく存在することになってしまう、という話と同じこと？

哲　同じことだ。

学　つまり、その小説の中では、その小説の世界が客観的に実在することになるということ？　登場人物が思考実験するだけで？　疑う余地なく、絶対確実に？

哲　そうだ。その登場人物にとって。

学　でも、僕自身がカントのやり方を採用して、僕にとってのこの世界の客観的実在性を証明することもできるよね。

哲　しかし、そうするのが君自身であることは、もはや何のはたらきも演じないだろう。

学　なるほど。そうなるかな。

哲　だとすると、どんな世界を想定しても、その世界の住人にとって、その世界は客観的に実在していることになる。

学　つまり、客観的に実在してない世界も「客観的に実在している」ことになるわけか。

第54話　神は定義上「現実に存在する」といえる？

哲　そうだ。

学　でも、この世界以外の世界って、ありうるものとして想定されただけの世界なのだから、実際には存在していない世界だよね。他人の場合に、他人にも成り立つ方の「私の存在」の確実性だけしか成り立たないから本当の意味では「私の存在」なんて成り立っていなかったのと同じことで、本当の現実性はないよね。そう思われているだけで。

哲　そうも言える。しかし、君はさっき、「私」が思っていると思われているなら、その「私」は存在するとも思われているのでなければならない、といえるだけだろう、と言っていたが、事はそんなに簡単ではない。その「思われている」は、みんながたまたまそう思っているというような主観的な「思われている」ではなく、概念上そう思わざるをえないという客観的な「思われている」だからだ。

学　それってたとえば、立方体が思われているならそれには六つの面があるとも思われているのでなければならない、というようなこと？

哲　そう。そして、それはつまり立方体には六つの面があるということなのだ。立方体の実例と見なしうるものが、この世界に一つも無くても、だ。

学　でも、そういう意味でいいなら、神だって定義上存在していると見なすこともできちゃうんじゃないかな？

哲　できちゃうだろう。存在論的証明は成功していると見なしうる。神は完全であり、完全であるなら現実に存在せざるをえない、と誰もがたまたま思っているだけではなく、そう考えざるをえないような概念体系が言葉の意味として前提されている世の中では、神は定義上「現実に存在する」ことになる。

学　うーん。でも、その、定義上は「現実に存在する」ことになっているものが、現実には存在しない、ということもありうるんじゃないの？

哲　もしそういえるとすれば、その裏面もいえることになる。

学　裏面？

第55話　定義上「現実に存在する」ことで現実に存在できなくなってしまう？

哲　神は定義上「現実に存在」してしまうがゆえに、それ以上に本当に現実に存在することはできなくなってしまう。というか、もし本当に現実に存在したとしても、そのことを語る言葉はもうなくなってしまうのだ。

学　なるほど。神は立方体と違って実例が提示できるようなものではないから、概念上の「現実に存在する」に「現実に存在する」ことのすべてを奪われてしまうことになるわけだね。

哲　そう。哲学史的に言えば、ヘーゲルという人が、そういう意味で神は定義上「現実に存在する」と主張したのに対して、キェルケゴールという人が、そんなふうに考えてしまったら現実に存在できなくなってしまうではないか、と批判したことになる。

学　ああ。その問題は、主題は神だけど、実は僕たちが今まで考えてきた問題と同じ問題だね！

哲　そうだ。我々は、「私」や「今」に関しても、ついついヘーゲルのような立場に立ってしまいがちなのだ。つまり、自分自身に関しても、君が言ったように、概念上の「現実に存在する」に「現実に存在する」ことのすべてを奪われてしまう、ということが起こるわけだ。

学　起こらないよ。この僕は「他人の僕」と違って、疑う余地なく存在している。神の場合と違って、奪われてしまわない意味が必ず残ると思うよ。

哲　立方体の場合と同じことかね？

学　立方体の場合は、単なる実例があるかないかだけだけど……。

哲　私の存在の場合は、この私が存在することが「私の存在」の単なる一例ではなく、その本当の意味がそこで初めて提示される、と考えることはできる。その場合、その意味を私と君が共有することはもうできないことになるが……。

学　だとすると、もちろんデカルトとも共有できないから、彼の言おうとしたことは実は言えていないことになるね。

哲　それでも、我々が理解できるような「彼が言おうとしたこと」は存在するのだろうか。

第56話　神と私では「以下同様」の方向が逆である

学　僕が台風だったら、という話をしたとき、おじさんはそういう想定にはなぜかさの自覚が不可欠なんだと言っていたよね(第26話)。そういう場合、僕の感じるなぜかさは他の人が感じるなぜかさと同じなぜかさなのかな？

哲　同じと考えれば、同じそのことに基づいて、実存主義のような一つの主義が作れる。同じではないと考えれば、君が以前に言っていた「特在」のような話になる。

学　特在主義は作れない？

哲　言葉で語りうる以上、どこまでも作れてしまうだろう。しかし、それでは捉えきれない要素がどこまでも残り続け、その要素こそが要素であるどころか実はすべてなのだ、ということこそが、「特在」という苦し紛れの言葉を作って君が言おうとしたことではないのかね？

学　そう、そう、そうだった。あ！　その点では、立方体なんかよりは、むしろ神の場合に似ているんだね。

哲　だが、神の場合と私の場合とでは「以下同様」の方向が逆だろう。

学　「以下同様」って、さっき神の存在証明のときにおじさんが言っていたあの「以下同様」のこと？(第51話)　あれって、現実に存在することがどこまでも「現実に存在する」と思われていることへと吸収されていってしまう、ということだよね。「私」の場合だって同じじゃないの？

哲　どちらも、現実に存在すると思われていることがどこまでも現実に「現実に存在する」ことへと超出していってしまう、ともいえるだろう。しかし、超出の意味は逆だ。神の存在証明の場合は、神の概念自体にそのように超出させる力が宿っているという問題だから、その超出自体がどこまでも概念の内部にある、ということになる。それに対して、私の存在証明の場合は、私の現実存在自体にそういう概念の力を超え出させる力があるという問題だから、その超出自体はどこまでも概念の外部にある、ということになるわけだ。

第57話　超出してもどこまでも吸収されていくか、吸収されてもどこまでも超出していくか

学　ああ、そうか。つまり、「神」は、超出しても超出しても、どこまでも吸収されていくのに対して、「私」は、吸収されても吸収されても、どこまでも超出していく、という違いだね。

哲　そう。そうなると、主題を離れて、超出主義と吸収主義の哲学的対立が成立することにもなる。神に関して、無神論者であるか有神論者であるか、といったような対立とは独立に。

学　僕は超出主義者なのかな。神の存在なんか全然信じていないのに、この議論をすると神を超出させたくなるから。

哲　君は根っから哲学的な少年だね。

学　でも、たとえばデカルトのような他人が言っている「私」の場合には、神の場合と同じように、超出しても超出してもどこまでも吸収されていっちゃうよね？

哲　いやいや、そんなに簡単ではないだろう。他人の「私」であっても、それが「私」である以上は、吸収されても吸収されてもどこまでも超出していくという面を持ち続けるから、それが他人の「私」であることは、吸収されても吸収されてもどこまでも超出していくというそのこと自体が、超出しても超出してもどこまでも吸収されていく、という多重構造になっているはずだから。

学　それもまた「以下同様」になる？

哲　そうだ。だから、私の「私」と他人の「私」は、あるところで捉えれば全く同じ構造だが、別のところで捉えれば全く逆の構造ということになるわけだ。

学　他人の場合は吸収で終わるけど、僕の場合は超出で終わるから？

哲　だから、君がそう言うときの「僕」と「他人」自体に、同じ「以下同様」が当てはまってしまうのだ。言葉で言う限りはどうしても。

学　「今」も同じことになる？

哲　「今」の場合は文字通り移動するから、もっと典型的だ。その点を問題にした「マクタガートのパラドックス」という有名な議論があるから、自分で研究してみるといい。

第58話　概念を超えて現に存在しているものの総体を世界と呼ぶ

学　世界は？　さっきおじさんは、カントは世界の存在に関して存在論的証明をやったんだって言ってたけど、ということは世界は神に似ているってこと？

哲　カント的な世界の存在証明は客観的世界の存在証明にすぎないから、われわれの持っている客観的存在という概念に基づいて、その概念に適合していれば客観的に存在していることになるのだ、という仕方でなされる。そういう意味では、神の存在の存在論的証明に似ている。

学　でも、証明なんかされなくたって世界って現にあるよね。神と違って。

哲　いやいや、この世界は全部夢かもしれないし、欺く神にだまされ実在すると思わされている実在しない世界かもしれないだろう？　カント的な証明は、そうではなく客観的に存在しているのだ、という証明にすぎない。しかし、世界の意味を広く取って、ともかくも存在するものと取れば、夢であろうと妄想であろうと、ただ世界がそういう世界であるということだけで、やはり存在はしていることになる。

学　だとすると、吸収されていくか超出していくかという分類で、どこまでも吸収されてしまうほうの典型が存在論的に証明される神だとすれば、世界は、とにかく現に存在してはいるのだから、どこまでも超出していくほうの典型ということになるね。

哲　そうだ。むしろ、概念を超えて現に存在しているものを、その総体を包括して「世界」と呼んでいる、と言ってもよい。そう考えると、私や今は世界と神の中間ということになる。概念を超えて現に端的に存在しているという側面を持つとはいえ、そうではない側面も持たざるをえないから。

学　他人も僕と全く同じ資格で自分を「僕」とか「私」とか言って指すし、他の時点において使われる「今」という言葉も今使われるのと同じ意味だからねえ。

哲　本来端的な存在が端的にでなくても存在できるともいえるし、端的でないはずの存在がなぜか端的にも存在しているともいえる。

第59話　世界こそが端的な特在的存在者である

学　でも、世界は全く端的に存在しているって言えるの？

哲　何であるかを一切抜きに、ともかくも存在してさえいれば存在者とみなして、その存在者の総体を世界とみなすなら、世界は全く端的に存在するだろう。何であるか抜きだから、存在論的証明はできないがね。

学　存在論的証明は、それが「何であるか」という本質の側からそれ「がある」という実存を証明することだから、世界にはあてはまらないわけか。世界は端的な特在的存在者だともいえるね？

哲　いえるだろうね。他の世界というものは端的に存在しないから。現実世界以外に可能世界が存在するという考え方もあるが、可能世界という言葉自体が他の世界というものは可能性としてしか存在しえないということを表しているだろう。現実性と可能性という対比自体は抽象的な対比にすぎないが、現実世界と可能世界という対比はもう抽象的な対比ではない。現実世界こそ現に存在しているものそのものを端的に指しているのだから。ここには私や今に関しては成り立たない端的さがあるのだ。

学　そういう世界は、それが何であるかという本質抜きに全く端的に実存しているから存在論的証明ができない、という話だったけど、でも、カントはそれをしたんじゃないの？

哲　カントのは世界の客観的実在性の証明だからね。世界が夢でも妄想でもなく客観的に実在しているという証明なら、客観的実在性という概念がどういう場合に適用できるのかという、適用基準の側から証明ができるわけだ。むしろ困ったことには、カントのような世界の客観的実在性の証明は単なる可能世界においても成り立ってしまう、ということにある。

学　客観的に実在する世界として想定するんだから、もちろん、客観的に実在する世界として想定される。ゆえに、当然、客観的に実在する、ということだね？　だとすれば、またしても僕は、そう想定されているだけじゃないか、といいたくなるけどね……。

第60話　この世界からただ現実性だけが奪われる可能性

哲　さっきも言ったように、問題はその仕組みが言葉の意味の内にすでに用意されてしまっていることにある。つまり、カント的な証明もまた一種の存在論的証明だから、神の存在論的証明が神の概念を分析することによってなされたように、客観的世界の存在論的証明も客観的世界という概念を分析することによってなされる、ということが問題なのだ。

学　話がだいぶ戻るけど、僕が悟じいさんになるとか、今が三〇年前に戻るとか、ああいう問題は、世界の場合にも考えられるかな？

哲　もちろんだ。問題は要するに、剝き出しの端的な現実性というものがあるかないか、ということなのだから。

学　僕が悟じいさんになるとか、今が三〇年前に戻るといったことに相当するのは、世界の場合だと、この現実世界が、ただ可能なだけの他の世界になるってことだよね。

つまり、この世界から現実性だけが奪われて、他の世界にそれが与えられるってことだよね？

哲　そうだ。

学　で、この場合もやっぱり、僕が悟じいさんになることや今が三〇年前に戻ることと同じで、なってももともとその世界であっただけ、ってことになるの？

哲　そう考えることもできる。その世界にとってはその世界はもともと現実世界なのだからね。そして、現実性を奪われたはずのこの世界のほうも、現実世界として何の問題もなく継続していける、と。どんな世界もその世界自身にとっては現実世界なのだからね。結局、何も移動していないことになる。一言で言えば、この場合もまた継続性が現実性を与えることになるわけだ。

学　じゃあ、逆に、この世界で継続性のない滅茶苦茶なことが現実に起こり始めたら、そのことでこの世界はこの世界でなくなるの？

哲　そうなる。君が悟じいさんになれば君ではなくなるのと同じことだ。君がいくら学という一人の人間であることとは独立の特在する私の存在を主張したところで、正常な継続性を失えばそんなものは消えてなくなるのと同じことだ。

第61話　固有の性質やまとまりとは独立の剝き出しの現実性というものがある

学　世界の場合は明らかに違うよね。この世界が世界Aという個性とまとまりを持った世界で、それとは別に世界Bという個性とまとまりを持った世界が仮想上でもいいからあるとするよ。おじさんが今言った考え方が正しければ、あるとき突然、この世界が正常な継続性を失って世界Bという全く違う世界になってしまったら、いくらこの世界には世界Aであるという個性とまとまりとは独立の特在する現実性というものがあると言い張ったところで、そんなものは消えてなくなる、ということになるはずだよね。でも、実際には、それは消えてなくならないで、世界Bになってもこの世界は、世界Aであるという個性とまとまりとは独立の特在する現実世界であり続けるよね。

哲　しかし、そういう変化が起こったという事実は、どちらの世界のどこにも刻印されない。世界Aも世界Bも、これまでどおりそれぞれの世界の基準に従って正常に継続しているだけだ。

学　でも、世界Bはもともとは現実に存在していなかったんだよ。そして、今や世界Aが現実には存在しない。やっぱり大きな変化が起きたんだよ！　それと全く同じことで、僕が悟じいさんになったら、その瞬間から世界はただ悟じいさんの目からだけ開かれる世界に変わるんだよ！　もちろんその変化を経験できる主体は存在しないから、何も変化していないともいえるけど、それは並在的世界像の側からの言い分にすぎないんだよ。並在的世界像の中で変化を貫く同一の実体は存在していなくても、こういうふうにありありと世界が開けているという唯一特別の性質が学から悟に移ったのは、やっぱり事実なんだと思うよ。

哲　世界の場合はそう考えても問題はない。実際には一つの世界しか存在しないし、しないことを誰もが認めるだろうから。世界は文字通り全てを包み込むからね。しかし君の場合は、悟にならなかった学は正常に継続して存在しているのだよ。その学が君でなくなることはできないだろう。

学　なぜ？　なぜできないの？

第62話　二次的に創られた贋の問題としての独我論

哲　それが自己意識を含む意識が継続的に存在するということの意味で、それ以外にその継続に意味を与える方法は存在しないからだ。だから、学も悟も正常に継続しているのに、これまで学であった君が、世界の開けの原点としての剝き身の君が、ただそれだけが、悟になるということは、かりに想定してみることさえもできないという強い意味で、不可能なのだ。

学　並在的世界像においてはもちろんそうなるだろうけど。特在的世界像においては違うんじゃないかな？

哲　私が、世界の開けの原点としての剝き身の私が、ただそれだけが、哲でなくなって安倍首相になったとして、そのとき世界に何か変化が起こるだろうか。私に何か変化が起こるだろうか。

学　世界には何の変化も起こらないけど、おじさんの私は安倍首相に移るから、その私は大きく変化するんじゃないの？

哲　いや、違う。問題を以前に話した（第23話）いわゆる独我論のような考え方と混同しないことが大切だ。独我論ならば、もともとは哲である私にだけ意識があって、他の人間はみなゾンビだったのだが、あるときその意識が安倍首相に移って、安倍首相だけに意識があって他の人間はみなゾンビであるような世界に変わった、というような、世界の中で生じうる実在《リアル》的変化を想定することができる。しかし、我々が論じているのはそのような問題ではないのだから。

学　うーん、そこは、むしろ僕は、おじさんの言う独我論の問題のほうが今僕たちが論じているような問題から派生してきた贋《にせ》問題のような気がするんだけど……。

哲　それはその通りだ。しかし、独我論という問題はすでに哲学界で市民権を得てしまっており、よくあることだが、もとの問題を直接感じたことのない人々が習い覚えた「哲学の問題」として論じるようになってしまっている。そういう独我論の問題なら、他人相互の間にも想定できる。現に君も今、「おじさんの私」が安倍首相に移ると言った。

第63話　私であることが誰か他の人に移行したら世界に変化が起きる

学　おじさんの私が安倍首相に移るなんてことは、僕にとっては全然意味がないはずだから、全く理解できなくて当然なのに、なんだか理解できるような気がするのはなぜかなあ。

哲　それは前に「極めて重要だから後でゆっくり議論しよう」(第36話)と言った問題とつながる「極めて重要」な問題だ。もう、その話に移るべき時かな。

学　いや、その前の段階で、やっぱりまだ納得できていないんだよ。おじさんは「世界の原点としての私が安倍首相になったとして、世界や私に何か変化が起きるだろうか」と言ったけど、それは本当は僕には理解できない問題だから、おじさんの「私」を「僕」に置き換えて、「世界の原点としての僕が安倍首相になったとして、世界や僕に何か変化が起きるだろうか」に変えるよ。そうすると、やっぱり大きな変化が起きると思えるんだよね。おじさんは「学も安倍首相も正常に継続しているのに、世界の開けの原点として僕だけが安倍首相になるなんてことは、かりに想定してみることさえできないという強い意味で不可能だ」と言うんだろうけど、そんなことはないと思う。だって、僕が分裂する思考実験の場合の学右のことを考えてみれば、学という人としては正常に継続しているのに、世界の開けの原点としての僕ではなくなる、ということが想定できたんだから。ああいうことって考えられることなんだと思うよ。

哲　それが考えられるのは、学右に対する学左のような対等の対立候補が現れた場合だけなのだ。この制限は永井均の『私・今・そして神』(講談社現代新書)では「カント原理」と呼ばれている。逆に見るなら、対等の対立候補が現れた場合には、正常に継続しているのに世界の開けの原点ではなくなりうる、ということでもあって、この可能性の方は「ライプニッツ原理」と呼ばれている。

学　どうして対等の対立候補がいる場合だけなの？

哲　気づいていない人が多いが、なぜか世界はそういう構造になっているのだ。

第64話　学くんは私と今に関する素朴実在論者である

学　なぜかそうなっている？

哲　そう。今言ったように、この謎は両面から見ることができる。なぜ対等の対立候補がいない場合にはカント原理が働き続けるのか、という謎と、なぜ対等の対立候補がいればライプニッツ原理が働けるようになるのか、という謎だ。そして、どんな場合にもライプニッツ原理が剝き出しで働きうるはずだ、と考える君のようなライプニッツ原理主義者と、その逆に、対等の対立候補がいてもカント原理しか働かないと考えるカント原理主義者とが対立しているわけだ。

学　今についても、同じことがいえる？

哲　以前に時間の経過には二つの意味があると言った（第45話）が、あの二つがカント原理とライプニッツ原理にあたる。ライプニッツ原理主義は私と今に関する素朴実在論で、カント原理主義は反実在論だ、という言い方もできる。

学　剝き出しの今が三〇年前になることが考えられるというのが今の実在論で、戻ったなんて事実は消滅するからそもそも考えられないというのが今の反実在論だね？

哲　以前には、今が三〇年前に戻ったとしてもただ普通に一九八四年であるだけだ、というようなことを言ったが、ただ普通に二〇一四年であるだけだ、と言ってもよい。一九八四年はただ普通に三〇年前の過去だ、と。

学　剝き出しの今の存在を否定すればそうなるよね。

哲　現に今である二〇一四年における事実とのつながり方によってしか、過去とか未来とか言うことに意味はないから。

学　時間のほうがカント原理が強いんだ。

哲　そんなことはない。今はなぜか二〇一四年である、という端的な事実が存在することは、カント原理ではどうにも説明がつかない。

学　でも、今に関しては対等の対立候補なんてありえないでしょ？

哲　内容的には私と全く同じでただ私でだけない人に相当するのは、内容的には今と全く同じでただ今でだけない時だろうから、それは過去や未来ではないか。

第65話　今にも過去と未来という対等の対立候補は存在する

学　なるほど、内容的には今と全く同じで、ただ今でだけないものを、未来とか過去とか呼ぶんだね！　まだ未来だった時点での今の内容と、もう過去になってしまった時点での今の内容とが、僕にとっての学右にあたるわけだ！

哲　そういう対等の対立候補が存在するのに、それらは実際に対等ではなく、端的な今というものが実在する。つまり、対等の対立候補たちの中からの根拠なき選択がなされてしまっている。だから、時間に関するライプニッツ原理は、つまり今の実在論は、十分に強い。

学　うーん、でも、根拠なき選択が実行されてしまっているという点では、今ではなく私の場合でも同じじゃないの？

哲　そうだが、例えば分裂した学右と学左は、私から見れば全く対等に君だ。世界の中にそういう公平な他者の視点が実在する。それどころか、公平な他者の視点だらけだ。

学　時間の中にはそういう公平な他者の視点は存在しないの？　公平な視点は、時間を外から年表のような形で思い描く視点だけなの？

哲　いや、我々のこの対話は、対話の進行中においてと終了後においてとを対比すれば対等ではないが、その二つを十年後において対比すれば、両方ともただの過去で、全く対等だともいえる。そう考えれば、十年後は公平な他者の視点にあたる。とすれば、私と今の存在様式はかなり似ていることになる。

学　分裂という実際には起こらないことを除いて考えるとどうなる？　学右と学左の対比って、可能な僕と現実の僕の対比だともいえるよね？　そして、僕は実際にも常に可能な僕と現実の僕とに分裂し続けているよね？

哲　君が左に行こうか右に行こうか迷って現実には左に行ったとき、左に行った学が現実的な学で、右に行った不在の学が可能的な学というわけかね？

学　右や左に歩き出した時点では、二人は進行方向以外は内容的に全く同じなのに、なぜか一方が端的に現実の僕なんだ！

第66話　今でないだけで実在する過去と、今でないのみならず実在もしない未来

哲　それはしかし、現実的と可能的の対比の意味が、実際に分裂した学左と学右の場合とずいぶん違うだろう。左に行った今度の学は、可能的な私に対比された現実的な私ではなく、可能的な学に対比された現実的な学、つまりは可能世界と対比された現実世界にすぎない。さっきも言ったように、現実性に関するライプニッツ原理、つまり現実世界の実在論は極めて強い。前に想定した学右は、客観的に見れば単に可能的な学ではなく現実的な学だったのに対して、右に行った今度の学は、客観的に見ても単に可能的な学にすぎないのだから。

学　その違いは、僕を今に置き換えて時間の場合で考えると、過去と未来に対応していない？　学右は、僕にとっては可能的な僕にすぎないけど客観的には実在しているから、実在するけど今ではないだけの過去に対応していて、右に行った学は、誰から見ても可能的なものにすぎないから、そもそも実在しない未来に対応している、と

いうふうに。

哲　素晴らしい！　よく検討してみないと正しいかどうかは分からないが、ともあれ君は面白いことを考えるね！

学　でも、やっぱり、僕が本当に不思議に思うのは、全く対等の対立候補がいても、僕が存在できてしまうということなんだよ。これって一体何なの？　僕が学右と学左に対等に分裂して、それなのに気づいたら僕はなぜか学左だったとして、その数時間後に学左である僕が死んだら、世界は僕が存在しない世界になるよね。学右が存在していても、僕には関係ない話だよね。僕が死んだ後の世界に僕そっくりの人が生きていたって僕には関係ないのと同じことだよね。

哲　その問題は、自分がこの世ですべきことはすべて学右が代わってやってくれるから自分は存在しなくても同じことだといえるか、という形で理解される場合が多いね。

学　それは的はずれだよ！　この世界で果たすべき客観的使命によって自分の存在理由を捉えている、何かの跡継ぎとか革命家とか、そういう人ならそんなふうに考えられるかもしれないけど……。

第67話　明日の朝、目覚めた僕はこれまでの僕の体験を自分の体験として記憶している人であるにすぎないから……

学　僕が知りたいのはそんな問題ではなくて、僕が死んだあと学右が僕であることが可能か、という存在論的問題だよ。

哲　君が死んだら学右が君になるともいえる。君と学右が共存していた数時間の君としての記憶が欠けているだけで、その他の点では彼は完璧な君自身だ、と。

学　中身から言うとそうなるけど、だからその数時間の記憶を除けば彼は僕自身だなんて言うのは、さっきおじさんが言ってた、僕がこの世界ですべきことはすべて学右が代わってやってくれるから僕は存在しなくても同じことだっていう方の問題に問題の意味がすりかえられているよ。彼は、たとえその数時間の僕としての記憶を持っていたって、つまり僕と内容的に全く同じだったとしても、僕ではないよ。

哲　確かに、自分と全く同じ記憶内容を持った自分でない人を想定することはそれほど難しくはない。そいつの目から世界が現に見えていて、そいつの感覚や感情が現に直接感じられ、そいつの体を現に直接動かせる唯一の主体、というようなやり方で私であることを規定するなら、私と内容的に同じ記憶を持っていてもそれらが欠如した人を想定するのは容易だから。だが問題は、そうすると、過去や未来の自分にもやはりそれらは欠如している、ということだ。

学　それは問題ないよ。僕は、僕は今の僕だけだって思っているからね。

哲　それならやはり、自分というものは記憶だけでつながっていることにならないかね？

学　つながりという点ではそうだね。

哲　例えば、明日の朝、目覚めた君は、ただこれまでの君の体験を自分の体験として記憶しているという意味で君であるにすぎない。とすれば、学右だって過去の君とはそういう意味でつながってはいるのだから、同じ資格ではないかね？

学　だから、明日の朝、普通に目覚めた僕は、ただこれまでの僕の体験を自分の体験として記憶しているという意味で僕であるだけだから、端的に僕であるかどうかはまだ分からないと思うよ。

第68話　僕が死ぬことや学が僕でなくなることを考えるのはある種の分裂状況を考えることか

哲　しかし、未来へのそういう言及の仕方が可能だろうか。

学　未来は、今じゃないんだから、端的に僕である人なんてそもそもいないから？

哲　そうだ。

学　そうかなあ。未来における端的な僕の存在を考えることもできるんじゃないかな。

哲　もちろんできはするが、現在から見てのその成立基準は心理的内容の継続性によるものだけではないか。

学　過去の自分と現在の自分の関係に関してはそうだと思うけど、未来に関しては違うんじゃないかな。

哲　なるほど、過去と違って未来は実在してないのだから、カント原理が実際に働いてしまうわけではないな。

学　未来に関しては、体も心もちゃんとふつうに繋がっていても、僕が僕でだけなくなるってことは考えられると思うけど……。

哲　しかし、それを考えるとき、君でなくなった学のことを考えている別の君が存在してはいないかね？　それは実は一種の分裂状況ではないかね？　心といっても意識といっても精神といっても、あるいは自我といってもよいが、そういうものは、もし自己でなければ他者としてしか存在できない。自他規定ぬきの単なる存在者としては、想定したくてもできないのだ。

学　そのことなら、僕が普通に死ぬ場合でも同じだよね。僕はいつか僕が死ぬということをずっと考えてきたんだけど、いつもそのことに思い至るんだよね。自分の死を考えるとき、学が存在しなくなったと考えている僕が必ず存在するんだ。だから、僕が死ぬということを、僕は本当は考えることができないよね。

哲　思考というものを完全な概念遊戯とみなせば、端的な私の死だって考えることができるはずだが、実際にはそれはできないな。

学　とはいっても、学が死んでも僕は死なない可能性ももちろんあるとはいえ、僕が端的に死ぬ可能性もやっぱりあるよね？

第69話　「私」の成立に関する二つの基準が分裂する可能性の議論は誰にでもあてはまる

哲　実は、それはかなり抽象度の高い思考だろう。それもまた、さっきからずっと先延ばしにしてきた「極めて重要」な問題の一種だ。その問題に移る前に一言注意しておくが、君は「学が死んでも僕は死なない可能性はある」と言ったが、たとえその可能性が実現したとしても、その「僕」が「死ななかった」といえるようないかなるつながりも存在しないから、「死ななかった」という事実は成立しえない。ここを取り逃がすと、君の考えは死後における魂の存在のごとき通俗的思考に同化してしまうので注意が必要だ。

学　それはよく分かったよ。おじさんと話してよかったことは、そういう哲学に固有の議論の仕方を学べたところだな。

哲　では、哲学に固有の議論の仕方をさらにもう一歩深めておこう。

学　どんなところ？

哲　実を言えば、これまでの議論で何度も出てきたのだが、あえてそのことに触れずにいた論点がある。直近の例で言うと、さっき私はこんなことを言った。――自分と同じ記憶内容を持った他人を想定するのはたやすい。そいつの目から世界が現に見えていて、そいつの感覚や感情が現に直接感じられ、そいつの体を現に直接動かせる唯一の主体、というような仕方で「私である」ことを規定するなら、それらを欠いている人が記憶や身体の連続性の点では私であることは可能であるから。

学　その通りだと思ったけど……。

哲　だが、この二つの基準が分裂する可能性の議論は誰にでもあてはまるだろう。「そいつの目から世界が現に見えていて、……」等々によって「私」であることを規定できるとすれば、それはこの「現に」の力に依存している。そして、誰もが自分こそがそいつの目から世界が現に見えているその当の人物だ、と思うことができるし、思わざるをえない。という意味において、君が未来においてそれを失うことは不可能だ、ということになる。

学　確かに、言葉のうえではそうなるけど、僕にはやっぱり、それを超えた事実が存在するとしか思えないんだよね。

第70話　同じでありえなさの種類が同じであるから……

哲　確かに、そうも言える。少なくとも私は、君の言うことを理解する。だが、それはなぜだ？　なぜ私が、誰にでもあてはまる方の話ではなく、それを超えた事実だと君が言い張る方の話を理解できるのだ？　君はまさにそういうふうに理解されない事実の存在を問題にしているはずなのに。さらに言えば、そもそもこの問題について我々が相互に議論し合えるのはなぜなのだ？

学　ああ、それは確かにおかしなことではあるね。

哲　それはつまり、我々がこれまで論じてきたような問題をそもそも論じることができるのはなぜなのか、という問題でもある。

学　うーん、わからない。答えはあるの？

哲　おそらく答えは簡単だ。誰もが君のように主張し、それらは同じ主張であると相互に認め合うことによって、第三の世界像が作られ、それが共有されるのだ。

学　第三のって、前に僕が言った特在と並在の二つの世界像に対して、第三？

哲　そうだ。

学　でも、なぜ相互に認め合うのさ？　みんなが字面の上で同じことを言ったとしても、同じであることはありえない、ということこそが問題の本質なのに。

哲　まさにその、同じであることのありえなさが、同じだからだろう。そうみなされるからだろう。そういう仕方で、特在的世界像は並在的世界像の内部に取り込まれるのだろう。例えば、君は朝目覚めるとなぜか学だ。「また学か」と思うかもしれないが、そのまた学であるという性質は学の側に属しているから、君は目覚めたときになぜか学であったにすぎない。

学　それは、その通りだと思うよ。

哲　だが、その通りだと思うとき、他人もそれと同じあり方をしている、と思っていないか。

学　うーん。少なくともそう思うことができはするね。

哲　できてしまうはずだ。

第71話　第三の世界像の成立

哲　そうできてしまうことがすなわち、同じでありえなさが同じであるとみなされ、特在的世界像が並在的世界像の内部に組み込まれていく、ということなのだ。

学　それは、ずっと前に論じた、僕には「カ」に見えるという事実が学という人には「カ」に見えるという客観的な主観的事実となる、という話とは違うの？

哲　それは、各人にそれぞれ異なる主観的な事実があるということだから、単にふつうの並在的世界像にすぎない。

学　僕は、そういう問題ではなくて、そもそも「見える」ということ自体が現実にはこいつにしか生じていないじゃないか、それはいったいどうしてなんだ？——ということを問題にしているんだけど、そのことがそのまますべての人について言えてしまうということ？

哲　いや、言えてしまうというように否定的に捉えずに、実際にそう言える、それが真理だ、と肯定的に捉えるのが第三の世界像だ。

学　どうしてそんなことができるの？　それができないというまさにそのことを問題にしているのに。

哲　そのできなさが、誰が主張しても同じできなさだからだろう。最初から考えてみよう。君の主張は、まずは客観的な世界があって、その中に人間がいて、それぞれの人間に心という主観的な領域がある、という普通の世界像を拒否していた。だが、実は誰もがそれを拒否することで初めて自己として存在できている、と考えることができるのだ。

学　「その目から世界が現実に見えていて、その感覚や感情が現実に感じられていて、その体を自由に動かせる唯一の主体」というような「私」の捉え方を誰もがしなければならない、ということなら、その通りだと思うよ。それ抜きでは、誰だってたくさんの生き物のうちどれが自分だか分からないだろうから。

哲　そう捉えたなら、君が悟じいさんになることを考えたように、誰でもその意味での〈私〉が他者に移ることを考えることができることになるわけだ。

第72話　学くんは第三の世界像も認めない

悟　つまり、我々は他人のことは色《しき》としてしか捉えられないが、その背後にそれを支えている空《くう》を観じ取ることができる、ということじゃな。色を有と言い換え、空を無と言い換えて、有としてしか捉えられないがそれを支えている無を観じ取れる、と言っても同じことじゃ。要するには、他者もまた仏ということじゃな。

哲　おお、悟じいさん。これはまた意外な場面でのご登場で。しかし、それは重要な事実ではありますな。我々が他人を捉えるとき、自分を捉えるときとは違って、その人がどういう人であるか――どういう顔をしているか、どういう声をしているか、どういう性格、どういう来歴か、あるいは、どういう指紋か、どういうＤＮＡか、等々――によって捉えることしかできない。つまり、自分の場合と違って、その人の持っている特有の性質によってしかその人を識別することができない。そうであるにもかかわらず、悟じいさんの言う通り、そういう特有の性質の束を超えたものを、その人をその人たらしめている本質として措定している、ということですからね。つまり、不可能なことをしていて、そこには一種の矛盾が内在している、ということです。

学　確かにそういうことはあるかもしれないけど、それでも僕はちっとも納得してないよ。だって、そういう風にみんなが自分のことを自分の持っている特有の性質によっては捉えていない、捉えられない、ということは——僕には他人がそうなっているのかどうか絶対に分からないけど——、一応そうなっているのだと認めたとしても、それはやっぱり並在的世界像の中での話だよ。それはやっぱり言葉を使ってしかできないことだし、そういう風に自分のことを自分の持っている特有の性質によっては捉えられない者たちのうちの一人がなぜかこの僕であるという異様なあり方をしているという事実は、そんなこととは全然違う話だよ。

哲　その異様さがみな同じ……

学　そのうちの一つだけが現に違う！

哲　その「現に」を含めて……

第73話　世界は一枚の絵には描けない

学　でも、そう観るのが並在的世界像だから、第三の世界像は並在的世界像の一部だと思うよ。

哲　いや、そうではない。第三の世界像は第二の、君の言う特在的な世界像をその内部に取り込んで、大きな飛躍を遂げたのだ。それは第一の並在的世界像とは全く違う世界像だ。ところがしかし、君の言うとおり、その第三の世界像に対しても、君が最初に並在的世界像に疑問を感じたのと同じ性質の疑問を持つことができる。しかし、もしそれを第四の世界像と呼ぶなら、並在的世界像の側はそれを取り込んでさらに第五の世界像を作り出すことができるのだ。

学　そうすると、そのプロセスには終わりがないことになるね。

哲　そうもいえるが、第三と第四の対立で終わっているともいえる。第四の世界像以降の第六、第八、……の世界像は、第二の世界像と違って、言語で表現することができず、そしてただ同じことを繰り返すだけだ。これらの偶数世界像の言語表現可能な側面は第二世界像を語るとき表現され尽くされ、しかも、その表現可能な側面は第三世界像という形で一つの並在的世界像に収められているからだ。その後の偶数世界像はその第三に対する直接的反発だから、もう言語に載らない。それは言語的世界像一般に対する反発だからだ。

学　それはわかるけど、反発という言い方は正しくないよ。別に反発しているわけではなくて、単に事実に反していると指摘しているだけだから。

哲　穏やかに言えば、事実のある側面を捉え損ねているということだね。

学　おじさんはそれを認めるの？

哲　ずっと認めていた。つまり、世界は一枚の絵に描けるような構造をしてはいないのだ。正確に言えば、一枚の絵に収めようとしてもどうしても何かが飛び出してしまうような構造をしている。このことを時間に関して明示したのが、少し前に名前を出したマクタガートだ(第57話)。彼はそのことを「時間は実在しない」と表現した。

第74話　時間が実在しないなら人間も実在しない

学　一枚の絵に描けないという意味で実在しないと言うなら、時間だけでなく人間も実在しないんじゃないの?

哲　時間が実在しないことになるのは、その内部に存在するはずの一つの時点が今という特殊なあり方をしてどこまでも一枚の絵から飛び出てしまうからなのだから、それと同じように、そのうちの一人が私という特殊なあり方をしている限り、自己意識を持つ生き物という意味での人間も、つまり英語でいうパーソンも、実在しないといえることになる。

学　絵を見る視点自体が絵の内部にある絵だから?

哲　そうもいえるが、そうであっても、その関係が固定していれば、そういう絵を描けばすむことだ、ともいえる。第二の世界像として。しかし、その第二の世界像は第三の世界像に吸収されてしまう。そうするとまた第四世界像が突出してきて、……

という関係が終わらない、という非固定性こそが問題なのだともいえるだろう。

学　なるほど、いろいろなことが分かってきたような気がする。例えば、他人の痛みは感じられないとか、他人に見えている赤がどんな色なのかは絶対に分からないとか、ああいう問題がずっと不思議だったんだけどね。神経をつないでも何をしても絶対に分かるようにならないのはいったい何故なのかって。でも、答えは、第三の世界像に立っているからなんだね。第一の並在的世界像では、神経をつなげばじかに感じられるはずだし、第二の特在的世界像では、そもそも他人同士の間にそんな問題が生じるはずもないから。

哲　その通りだ。第三の世界像は、内部にある種の矛盾を孕《はら》んでいるにもかかわらず、我々の通常の世界像なのだ。

学　矛盾って、相容れないはずの第一の世界像の特徴と第二の世界像の特徴とが強引に合体させられているということ？

哲　その通り。だから原理的に第四を嚆矢《こうし》とする偶数世界像の出現を撲滅できない構造を内属させているのだ。

第75話　すべての人が、自分がそれを喋る口によって特定される人物であることを否定するような内容の主張を、その口からする

学　どの時点もそれぞれ今であるという時間の捉え方も、時間に関する第三の世界像だよね？

哲　解釈の仕方によっては。だからやはり、どの時点もその時点にとっては現実の今である、といくら言い張っても、本当の現実の今の存在を葬り去ることは決してできない。実は世界についても同じことが言える。どの世界もその世界にとっては現実世界である、といくら言い張っても、本当の現実世界の存在を葬り去ることは決してできない、というように。そういう種類の矛盾は、私にも今にも世界にも同様に認められる。

学　だから、これまですべての人間が、すべての生き物が死んでいったとしても、僕は死なないかもしれないよね。だって、僕は単なる人間ではなくて、僕という世界

で初めて出現した特別のものだから。

哲　それは第二の世界像にすぎない。だからこそ、そう語ってしまえば、その主張は誰にでも当てはまるものになるのだ。それが第三の世界像だ。だから君は、それを認めたうえで、それを超える第四の世界像を語るべきなのだ。が、それはもう語ることはできない。

学　ずっと前におじさんが、極めて重要な問題だから後でゆっくり議論しようと言っていた(第36話)のも、そのことだったんだね?

哲　そうだ。君は君の言いたいことをその口からしか言えないというのが第一の世界像で、君が言いたいことと同じことを他人もそれぞれ言うことができてしまうというのが第三の世界像だった。第二の世界像は、その二つの奇数世界像からの攻撃を同時に受けたわけだ。君は二つの奇数世界像が矛盾しているような感じがすると言っていたが、それは鋭い直観だった。すべての人が口々に、それを喋る口によって特定される人物であることを否定するような内容の主張を、その口からすることになるわけだから。

学　なるほど。そうするとやっぱり、もっと最初のほうで議論した道徳的善悪の問題も、そのことに関係しているよね?

第76話　善悪の対立は並在系世界観の内部でしか意味を持たない

哲　道徳の原初形態は言語だ。その本質は奇数的世界像の世界制覇だろう。

学　あらゆる教育は奇数的世界像を刷り込むためのものだよね？　国語や英語や数学のような共通言語の教育はもちろん、歴史や地理や理科のような共通事実の教育も。

哲　それは少し大雑把すぎる主張だな。なぜならことは教育に限らないからだ。問題はもっとずっと本質的だ。問題の根本は、奇数世界像と偶数世界像の対立を、個人と社会の対立とか、主観的と客観的の対立とか、心と物の対立とか、そういった奇数世界像の内部にある対立に読み替える習慣を身につけさせるところにある。それが結集して現れたものが言語だ。主観的なものの見方も客観的なものの見方も、個人あっての社会だという見地も社会あっての個人だという見地も、唯心論も唯物論も、みな奇数世界像の中でのみ成り立つという意味で同じ種類のものの見方なのだ。

学　ということはつまり、善も悪も同じ種類のものの見方だということ？

哲　その通り。善悪の対立もまた奇数世界像の中でしか意味を持たない。

学　あらゆる教育は、物事を善悪対立の中で見る習慣を身につけさせるためのものなんじゃないかなあ。

哲　それは鋭い観察で一面の真理ではあるが、そうなんでも教育に結び付けなさるな。

学　じゃあ、そういう種類のものの見方から脱却してもいいんだね？

哲　最初から脱却している。

学　最初から？

哲　悪は存在すべきでないものとされているのに、なぜいつまでも決して撲滅されないのか、不思議に思わないかね？　善悪対立世界像が正しいなら、悪は消滅するか、少なくとも全くの馬鹿げた、無意味なこととして激減してもよいはずなのに。

学　悪ってさ、別の観点から見れば悪ではないよね？

哲　だが世の中はそのことが発覚することを最も恐れて、ひた隠しに隠すのだ。

第77話　道徳的な善さに根拠を求めてしまう誤り

学　善悪対立的世界観とそうでない世界観との対立を、善悪の対立へと読み換えて、善悪対立的世界観の内部に収めようとするわけだね？　特在的と並在的の対立を、個人と社会とか主観的と客観的とかの対立に持ち込もうとするのと、結局同じことだよね？

哲　そうだ。それは個人の内部でもなされる。この今こそがすべてだ、という特在的人生観は、必然的に刹那主義的で自堕落な人生観と解釈されることになるだろう。

学　そう思っている人が多そうだね。

哲　以前に時間の哲学に関連してマクタガートのパラドックスというものに言及したことがあるが、道徳の哲学でそれに対応するのがプリチャードのディレンマといわれるものだ。

学　どちらもあんまり有名じゃないね。

哲　だが、どちらも破格に重要だ。プリチャードは、プラトンを嚆矢とするこれまでの道徳哲学がすべて誤りに基づいていると主張した。「なぜ道徳的に善くあるべきなのか？」という問いに答えようとしているからだ。

学　悪いことをすると魂の調和が乱れるとか、ああいう話？　それが「誤り」だとして、どこがディレンマなの？

哲　「なぜ道徳的に善くあるべきか？」に対する答えが、「すべきことだからだ」とか「善いことだからだ」といった道徳的根拠であれば、それは同語反復で根拠を与えているとはいえない。他方でしかし、君の言った「魂の調和」が得られる、などもそうだが、「そのほうが結局は幸せになれるからだ」といった道徳外的な根拠を与えてしまえば、道徳的に善くあることは何か別のことを実現するための手段になってしまうから、賢く生きるための智慧を与えてはいても、道徳的に善くあるべきことに根拠を与えたことにはならない。これがディレンマだ。

学　だからどうしたと言うの？

哲　だから、この問いに答えようとしてはならない、とプリチャードは主張した。この問いに答えられないことが問題なのではなく、答えてしまうことが問題なのだ、と。

第78話　承認すべき根源的規範であると同時にそもそも規範ではない端的な事実でもある

学　じゃ、なぜ道徳的に善くあるべきか、という問いには答えがないの？

哲　ない。答えは、君が自分を多くの人間のうちの一人だと認めたときにもう出ており、そこですでに尽きている。それは、承認すべき根源的規範であると同時に、いかなる規範でもない事実そのものでもあるのだ。

学　世界像によって変わるんだね。なぜ僕は存在するのか、という問いに答えがないのも同じこと？　答えられてしまうと、精子と卵子が結合したとか、違う世界像での答えになってしまうから。

哲　それは鋭い洞察だが、方向としてはむしろその逆ではないか？

学　逆？　あ、そうか！　なぜ僕は存在するのか、ではなくて、なぜ僕は世界の中に実在できないのか、という問いだね。学くんという人間が実在するだけで。

哲　その通り。

学　そうか！　それが「なぜってM君は僕だからさ」(第11話)っていう理由が理由にならない理由なんだね？

哲　理由という言葉を三回使ったね。最初の二つが二種類の世界像を表現していて、三番目はそれらをつなぐ哲学的世界像における理由だ。

学　あのとき僕は「僕が僕の欲求だけを特別扱いするのはなぜ？」って聞いたと思うけど、あれに対する答えは？

哲　今さら君にそれを聞かれるとは意外だ。答えはあまりにも明白ではないか。

学　それしか存在しないから？

哲　そう。だから、特別扱いしない時にさえ、そいつだけ特別に特別扱いしないという特別扱いをせざるをえない。

学　とすると、なぜ僕は存在するのか、という問いのほうに対応するのは、むしろ、なぜ道徳的に善くなくてもよいのか、つまり悪くてもよいのか、という問いになるんじゃないかな？

哲　その通りだ。とはいえ、実は同じことだ。答えのなさも、その理由も。

第79話　たまたまこの目から見えて、たまたまこの口から喋れるから、あたかもこの人であるかのように生きる

悟　自分と他人の境はない。

哲　悟じいさん、まだそこにおられたのですか！　偶数世界像では境などはありえませんが、奇数世界像では文字通りの意味での境があったりなかったりできますな。

学　偶数世界像でも、外側が見える人間と内側が見える人間の違いがあるから、それがいわば境なんじゃないの？

哲　内側が見える人間とは学くんのことかな？　内側とは心のことで。外側が見える人間とは他人のことかな？　外側とは体で。それなら、それは違いであって、境界ではない。境界はないだろう。

悟　そういう違いは、単なる視点の事実としてはあるじゃろうし、あってかまわんが、人生の原動力としてはあってはならん。

学　それはどういう意味？

哲　知覚の事実としては偶数世界像を採用してもよいけれど、行動の動機としては駄目だ、ということですか？

悟　その世界像の区別の仕方を使って言うなら、むしろ大概は、認識としては奇数世界像を採用して、自分を他人と比較したり他人にどう思われているかを気にしたりするくせに、行動の動機としては偶数世界像に則ってただ我欲のみを実現しようとするじゃろう。

哲　なるほど、その逆の組み合わせにせよ、ということですか。認識としては偶数世界像を採用して、他人と比較したり他人にどう思われているかを気にしたりせずに、しかし行動の動機としては、最終的な我欲などはそもそも存在しない奇数世界像を採用せよ、と。そんなことができますかね？

悟　できるとも。何しろ逆の組み合わせができているのじゃから。

学　たまたまこの目から世界が見えて、たまたまこの口から喋れるから、他の人間と対比された意味での学という人間であるかのように生きればよい、ということ？

悟　君は何のために生きている？　自分が幸福になるためか、それとも何か善いことをして人々を幸福にするためか？

第80話　人生は、何であるかは決して分からない、無理由にただ存在しているだけのもの

学　あれ、悟じいさん、質問しておいてまたいなくなってしまった！　そういう二択で聞かれたら、僕は自分が幸福になるためだな。幸福になるというより、まずはとにかく、今あるこの空しさと不安を解消したいんだ。

哲　その二者択一なら、私はどちらでもない。どちらにもさほど魅力を感じない。学くんの答えも、分からなくはないが、乗り越えるべき考えではないかな。そもそも人生の空しさや不安は無くすべきものではない。

学　じゃあ、どうすればいいの？

哲　あるがままに正しく認識すべきだ。君は「例外期間」と言っていたではないか。君の人生は一回性の、他と比較不可能な、無理由になぜか存在しているだけのもので、それが何であるかは決して分からない何かなのだから、他と比較可能な意味での幸福な人生など求めたりしたら、台無しになってしまう。

学　そういう意味で幸福になりたいわけではないけど、やっぱり自分なりに不安のない充実した人生は送りたいよ。

哲　充実は多くの場合何かの誤魔化しに由来する。人生は、本質的に空しく、根本的にその意味が分からないという意味で無意味なものだからだ。それが本質なのだから、それを味わい尽くしたほうが、生まれて生きた甲斐があるというものではないか。

学　でも、そういう人生って本質的に孤独じゃないかな。

哲　孤独への恐怖は刷り込まれた思い込みにすぎない。それを捨てれば、孤独は少しも恐ろしくない。

学　自殺は？　自殺は駄目なの？

哲　いや、自殺できるというのは極めて重要な可能性だ。端的な存在そのものを自ら抹消して無にできるのだから。

学　死ぬとやっぱり無になる？

哲　そうであることを望むべきではないかな。

第81話　超－公的な使い方は超－私的な役割を担っている

学　で、結局、哲学をすることには、どういう意味があるの？

哲　最初にした理性の超－公的な使い方の話を覚えているかな？

学　うん、覚えているよ。

哲　哲学は理性の超－公的な使い方だから、食べるために金を稼ぐときにも、世のため人のために働くときにも、役に立たないだけでなくむしろ邪魔になるかもしれない。ちょうど理性を公的に使う能力が私的に使わねばならない場面で邪魔になるかもしれないように。それでも、理性を私的にしか使えない人には決して分からない、公的に使える人だけが知っている何かがあるのと同様、その二つの使い方しかできない人には決して分からない、超－公的に使える人だけが知っている何かがあるのだ。ちょうど理性の公的な使い方を知っていることが、私的に使わなければならない場面で不利に働くことがあるように、超－公的な使い方を知っていることが世の中で生きていくうえで不利に働くことがあるかもしれない。それでも人生にとって不利に働くことは絶対にない。

学　なぜ「絶対に」なんて断言できるの？

哲　究極の場所でそういう思考を働かせるのでなければ、一体何のために存在しているのだ？

学　心穏やかな充実した人生を送れなくても？

哲　送れないほうが正しい場合もあるからね。

学　正しいって道徳的に？

哲　いや、道徳的な正しさというものの意味を正しく把握することもできるような正しさの次元においての正しさだ。

学　ということ？

哲　超-公的な使い方は、比較不可能で無理由に存在している、この奇跡的な「例外期間」を受け止めるという、全く超-私的な役割を担っているのだ。そのことに見合った生き方ができれば、それだけでどんな立派な人生よりも素晴らしい。言い換えれば、生き方なんかどうでもいいのだよ、結局は。

第82話　哲学の別れ

学　よーく分かるけど、僕にはやっぱり怖いんだよ。そういう孤独、というか寄る辺なさが。

哲　哲学を本気でやれば、君は決して孤独ではない。君は必ず真の友人を見つけることができる。君が君の思考を進めれば進めるほど、隠れていた友人たちが次々と現れてくるはずだ。この世界は、当初そう見えたようには、そう捨てたものでもないということが分かってくるだろう。人類の文化の蓄積は、実は驚くほど深いのだ。それは、とても幸せなことだと思わないか？　だが、自分で掘り進めるのでなければ、その深みには決して達することができない。

学　それは、きっと、そうなのだと思うよ。でもね、僕はね、そのやり方で掘り進めたら、もっともっと孤独になっていくような予感がするんだよ。次々と現れてきた友だちには、次々と裏切られていって、見つけたと思った真の友だちも、僕が掘り進めることをやめなければ、必ず離れていくと思うんだ。だから、もし友だちが欲しいなら、そんな場所で探さないほうがいいんじゃないかな、って。

哲　君がそこまで見透しているなら何も言うことはない。それは本当のことだから。

学　ありがとう、哲おじさん。あっという間に終わってしまったけど、とても楽しかったし、本当にたくさんのことを学んだよ。

哲　私もとても楽しかったし、私も君から多くのことを学んだ。

学　さようなら、哲おじさん。

哲　やっぱり、悟じいさんのところに行くんだね？

学　うん。

哲　だと思っていたよ。君が悟じいさんに惹かれていることはずっと前から気づいていた。私は、悟じいさんの言っていることにも嘘(第8話)が含まれていると思うが。

学　かもしれないね。それでも僕は……

哲　君の苦悩は深いね。悟じいさんから何かを得られるといいが……。

学　うん。

哲　また会えるかな？

学　……。

あとがき

客観的な経緯とは独立に、私個人におけるこの本が出来上がるにいたる経緯ははっきりしている。ここでそれを述べておきたい。

『日本経済新聞』の二〇一三年二月一〇日の朝刊に、私は「瞑想《めいそう》のすすめ」と題するエッセイを書いた(その後、拙著『哲学の賑やかな呟き』に収録)。それは、日本でも普及しつつあるとはいえ、『日本経済新聞』の読者にはまだあまり知られていないと思われる、「ヴィパッサナー瞑想」という上座部仏教の瞑想法を紹介するためのものであった(とはいえ私は、自分の哲学の観点から、その瞑想の本質がじつは「志向性の遮断」という止観一体の操作にあるという独自の説明を意図したのではあったが)。

このエッセイは反響が大きく、私のところにもいくつかの感想が届いたが、そのうち一つは全く予想だにしないものであった。その方(当時六一歳の男性)はもともとヴィパッサナー瞑想をやっておられたようだが、私の説明の仕方が普通と違うことから何かを感じ取られて拙著を読まれたようで、こう書かれていた。「わたしが小学校三年生の頃発見してしまったどえらい疑問、この事実は小説よりも奇なること、日常のあらゆる問題が遠のいてかすんでしまうこの問題、ことの大きさは全宇宙をしのぐほどの疑問、そして一週間ほどふさぎこんだあの経験類似のことがしっかり語られていたのです。(中略)死の恐怖どころの話ではなかったのです。無限の時間と空間にあって、なぜ私は限定された点としての瞬間的存在なのか。なぜいまここに私が忽然と生まれ消えてなくなるのか。その私なしに客観的見方なんてしたって事実と違うし、主観がないなら何もないんだ。私がいなかった世界って何だったのか、私が消えた後も存在するに決まっている世界って何なのか」。

これだけのことであれば、私はこれまでかなり多くの人々から類似の体験談を聞いていたので、特に驚きはしなかった(かつてテレビ番組で爆笑問題という漫才コンビを相手にこの問題について話した際にも、後に同じような反響がいくつかあった)。しかし、次の三つの点で、彼の語ることは私の心を捉えた。

第一は、このことを「人に伝えようとしても、うまく表現できないし、違う方向の話になっちゃう……」と言われていたことである。さらに、「子供の頃の驚くべきこの発見は何かの思い込み、錯覚、妄想とは思えないのに、そう言われがちで、孤立してしまいました」と。これは実は、たまたま言い方が下手だったり、相手が悪かったり、といった問題ではなく、この問題が本質的に言語で表現できない問題だからなのである。すなわち、言語的世界観と本質的に対立している端的な事実があるのだ。そのことこそがこの問題の本質である(困難な仕事ではあろうが、この事実から逆に言語の本質をつかむことができるはずである)。

第二に、「賢人たちだって、私のこの疑問をストレートに表現していないように思えました」と書かれていたことである。彼はご自分が親しんでいる「賢人」として、仏陀とクリシュナムルティの名を挙げておられた。その通りであろう。仏陀のみならずキリストも、もちろんナーガールジュナもアウグスティヌスも道元もキェルケゴールも……、この種の「賢人たち」の誰ひとりとしてこの問題の存在をはっきりと把握して明晰に提示してはいない。

もちろん、プラトンもデカルトもカントもハイデガーも……、である。とりわけ哲学においては、近代以降この問題は認識論的な独我論という見当はずれな仕方で理解されてしまったため、問題の本質は壊滅的に見失われてしまった。

第三に、仏教の「無我」の教説がそもそもこの問題を知らないために見当はずれなものになっていることに触れ、「『そこから世界が開けている唯一の原点』の発見、疑問、自覚なくしていっしょに前に進めません」と書かれていたことである。これもまた、全くその通りだと思った。

日本経済新聞社から連載の依頼があったとき、私はこの方(のような方々)を念頭において書くことに決めた。哲学を探究するのは自分のためだが、書いて公表するのは、この世界に散らばっている友人たちにあるメッセージを送り、かつ潜在的な友人を顕在的な友人に育て上げるための仕事である。

世の中の決まり事と違うことを考える意味について

山下良道
永井　均

あるエリートが封印した幼少の頃の疑問

山下　永井さんはよくツイッターの投稿をされていますが、最近永井さんがある方のツイートをコメント付きでリツイートされていました。それが永井さんという人を理解するのに非常に役に立つのではと思われるので、ご紹介したいと思います。こういうツイートです。

あるエリートに永井均先生の本を勧めると幼少の頃自分がいつも考えていた問題が書かれていて驚いたと言った。

これは私も何人かから同じような感想を聞いたことがあります。いま地上で哲学と言われているものなど何も知らない幼少のとき、裸の心でこの世界の不思議を、子どもなりに真剣に考えていた。あの頃の自分が考えていたことをテーマとして、永井さんがプロの哲学者として論文に書いている。そのことに驚いてしまうと。ただ、ここで問題になるのは次です。このエリートの人がどういうエリートなのか、官僚なのかビジネスの世界で成功した人なのかはわかりませんが、その人がこう考えたそうです、もう少し大きくなって。

しかし考えても仕方ないものとあるとき判断し心の奥に封印し代わりに世の決まり事を（それ自体は決め事に過ぎないと自覚しつつ要領よく利用するため）刻苦勉励して大成したとのことだった。

以上のツイートに対して永井さんが、

「代わりに世の決まり事を」というのが面白い。

とコメントされていました。
みなさん、以上の話を聞いてどうですか？　ズキッときましたか？　それとも特にピンとこないでしょうか。
このエリートの人は幼少のときからの探究を、「あるとき、心の奥に封印した」と言っています。その「あるとき」とはだいたいいつでしょうか。現代の日本人だったらわかるでしょう。一〇代後半、高校生くらいではないでしょうか。その頃は誰もが、永井さんが今までずっと考えてこられたようなことを、たぶん素朴とはいえ真剣に考えていたはずです。自分とは何か、この世界はどういう仕組みになっているのか、自分と世界はどう関係するのか、などという問題について。

だけど、こんなことをいくら考えたって、目の前の試験の点数が良くなるわけではないですから、ある時点でこのエリートの方と同じように、そういう疑問は心の奥に封印して、世の中の決まり事、つまり大学入試の正解なんかを丸暗記する勉強のほうに舵を切ってしまうわけです。その結果、めでたく試験でいい点数を取り、先生や親から褒められて、世俗的なご褒美をたくさんもらっているうちに、子どものときに考えていたような素朴で生々しい疑問なんていつの間にか忘れていってしまった。そういうことではないでしょうか。

何もかも割り切って「世の中で正解だとされているから」丸暗記しただけなので、本当に自分がその「正解」に心から納得したわけではない。その「正解」が、自分の昔からの疑問を解決する答えではさらさらない。

私自身も、普通の高校生だったので、この「世の中で正解とされているもの」をともかく丸覚えしなくてはいけない、という有無を言わさぬプレッシャーを感じていました。丸暗記など、やろうと思ったらそこそこできるけど、覚えた結果として手にするもの、入っていける社会には何も待っていないと、その当時からすでに幻滅していたので、その方向へは正直進みたくない。でも進まざるをえない。本当は「仮の正解」ではなく、「本物の真理」を知りたいのだ、というジレンマの中にいた私は、真理に対する探究心を持ちつつも、丸暗記のほうにも力を入れるという実に中途半端なスタンスで、誤魔化し誤魔化しやっていました。

でも、ついにその根本的な自己矛盾に耐えられなくなって、大学を卒業したときに、これからは一切の妥協なしに真理のみを追究するために宗教の世界に入る決意をしたのです。もちろん、宗教の世界に入ったからといって、すぐに純粋に真理のみを追究できるわけではないですけどね。なぜなら、世の中の決まり事というのは宗教の世界にもあるからです。ある意味世間以上に強烈に。

宗教の世界の決まり事とその理解

山下　われわれが宗教の世界に入る場合、それはたいていどこかの宗教教団に入ることになります。私の場合は最初、二〇代で日本の曹洞宗という教団に入り、四〇代になってからミャンマーのテーラワーダという教団に入り、どちらも正式にコミットしました。

各宗教教団には、それぞれに「教義」があります。それはその教団の中では「絶対的な真理」とされていて、ある意味、大学入試の正解のような位置づけのものです。教義という正解を丸暗記するのはそれほど難しくありません。一生懸命に丸暗記して教団の中の試験の答案にそれを素直に書けば、満点を取ることも可能です。私の場合は曹洞宗とテーラワーダという二つの教団に入ったので、それぞれで正解とされているものを丸暗記しました。でも、曹洞宗の教義とテーラワーダの教義は当然ながら一致しません。なぜ、そんな矛盾に悩むことになるのが最初からわかりきっているようなことをしたかというと、あるものに出会ってしまったからです。

これまで、何度も話してきましたが、私がまだ曹洞宗にいたときに、開教師として派遣されたアメリカで、マインドフルネスというとんでもないものに出会いました。なぜとんでもないものなのかというと、それは曹洞宗でやってきたことと正面衝突するものだったからです。

お互いに矛盾する二つのうちどちらかが間違っているなら、話は簡単です。間違っているほうを捨てて、正しいほうを選択すればいいだけですから。でも、どう考えても両方とも正しい。でありながら、やっぱりその二つはお互いに矛盾する。そういう謎の状況に三〇年前の私は陥ってしまったわけです。

これは山下という一個人の特殊な問題ではないはずです。曹洞宗の中で只管打坐《しかんたざ》を真面目にやってきた人間が、何かの拍子にマインドフルネスに出会えば、本来、みな同じ反応をするはずなんですよ。最近よく「禅の中にはマインドフルネスがある」なんて言いますけど、なぜそんなことをいとも簡単に言えるのかが、私にはわかりません。今まで日本の修行道場で教えられてきたような禅の中には、マインドフルネスなんてありません。ないからこそ、禅僧であった私はマインドフルネスに出会ってもそれが何かわからなかったのです。只管打坐の中で純粋培養された私は、アメリカでティク・ナット・ハン師のマインドフルネスに出会ったとき、自分がこれまで禅僧としてやってきたこととどうつながるか、皆目わかりませんでした。

禅をやってきた人ならマインドフルネスに出会ったときに、当然そこで矛盾を感じて悩まなければいけないはずなのに、他の禅僧たちはなぜ悩まないのだろう？　そう疑問に感じました。先ほど取り上げたツイートのエリートのように、禅の教義を本当には心の底から納得しているわけではなくて、「教団の中で一応正解とされているもの」というくらいの位置づけでしか受け止めていないので、悩まないのでしょうか。

だから、禅と真っ向から矛盾するマインドフルネスに出会っても、不思議なことに両者がぶつからない。多少ぶつかったとしても、別にそんなに大した問題ではないとみなして深く考えないのでしょうか。

だけど私は、もうそういう表面的な勉強の仕方は出家する前にやめようと決意して、宗教の世界に入ってからは本当に心から納得するものだけを、真理として受け入れてきました。内山老師に教わった只管打坐も心から納得できました。ティク・ナット・ハン師に直接お会いして教えていただいたマインドフルネスにも、心から納得しました。「正解とされているもの」を仮に受け容れたのではなく、二つとも本当に心から納得したのです。でも、この二つがどういうわけかぶつかってしまう。そこから、皮肉なことに、私の真理探究の道が本当に始まりました。

というわけで、永井さんにお聞きしたいと思います。先ほどのエリートの方が子どもの頃から考えていたようなことを、永井さんは子どもの頃から、中断することなく今に至るまでずっと考え続けてこられたわけですけど、学生生活をしたり、大学に勤めたりしている過程で、考え続けるのが難しくなったことはないのでしょうか？

香山芳久先生がくれた「縦横無尽に考える翼」

永井　その前に一つ質問があります。そのツイートだと、そもそも決まり事ってどの範囲のことなのか、よくわからないんですよね。普通の意味での世の中の決まり事のことなのか、もっと広い範囲のことを指しているのか。ツイートの人の意図はともかく、良道さんの場合だと、これは、世界はもしかしたら夢ではないのか、といった問題ともつながっているのですよね？　この場合、決まり事は「いや、夢ではない」という決まり事になりますけど。こういうちょっと度はずれに巨大な決まり事と普通の意味での世の中の決まり事では決まり事の意味がちょっと違うわけですが、良道さんの場合はその二つはつながっていたわけですか？

山下　そうですね、私はこの世界そのものが夢ではないかというようなことを、子どもの頃からずっと考えていました。というか、夢としか思えない瞬間が時々訪れたと言ったほうが正確でしょうか。だけど、そういうことを考えるのは、高校生くらいになると許されなくなってきます。だから、あのエリートの方は、実際に何を考えていたかは知りませんが、そういうことは封印して、さっさと世間で正解とされているものを丸暗記するほうに方向転換したわけです。私はその方向転換がうまくできずに、実に中途半端になってしまいました。

その理由は、いま永井さんが言われた「度はずれに巨大な決まり事」の外が気になってしようがなかったからです。世界がもしかしたら夢かもしれないという思いを抱きながら、それを忘れたふりをして、無理やり現実だと仮定した世の中の決まり事の中を生きるのはいくらなんでも矛盾だし、苦しすぎます。そうであるなら、もう徹底的にその「度はずれに巨大な決まり事」の外を見ようと思ったのです。でも、そんな無茶なことは出家でもしない限り無理だとわかっていたので、大学を卒業するとそのまま内山老師の流れをくむ安泰寺という修行道場にゆき、出家生活に入りました。

でも普通はあのエリートのようにさっさと方向転換することで、この世界はもしかしたら夢ではないかというような、ある意味子どもっぽい、だけれどももっとも根源的な問いかけを忘れてゆきます。でも永井さんの場合は、ずっとそういう根源的なことを考え続けてこられた。永井さんだって大学入試を受けられたわけですよね。決まり事を丸暗記するようなことは、ささっとできたという話なんですか?

永井　その問いにちゃんと答えるとすると、いろいろなこまごまとした事実関係を言わないといけないんですけど、まず僕は大学入試を受けてないんですよ。

山下　あ、高校からの内部進学ですか？

永井　そうです、だからそういう意味で一種の余裕がありました。それから、夢ではないか、という問題ですが、夢という言い方はちょっとメタフォリカルな言い方で、要するに、世界というのは自分から見えている映像のようなもの――哲学用語ではよく表象といいますが――であって、本当にみんなが言っているような意味で、客観的に実在しているかどうかは確かめようがないわけです。自分に見えたり、聞こえたり、自分が知りうること以外のことは知りえないわけですから。

たいていのことは信じ込まされているだけですね。地球は丸いとか動いているということが真理とされていて、天動説は今や馬鹿馬鹿しいとされるわけですが、それだって、そう教えられたというだけのことで、子どもが本当に自分で確かめられるわけじゃないですから、実は全部作り話であってもわからないですね。歴史として教えられるようなこともみなそうですし、極めて根本的にいえば、僕が信じ込まされている世界像のすべては僕をだますために作られた作り話にすぎない、という可能性だってあるわけです。映画で言うと、『マトリックス』タイプの可能性もありますが、『トゥルーマン・ショー』タイプの可能性もありえます。

そういうことを封印したかといえば、それはまあ封印したという側面はあるわけですが、幸いに、私の場合はたまたまそういうことを話せる友達とか先生とかがいた、ということがありますね。

山下　それはいつ頃ですか？

永井　中学生の頃です。小学生の頃もいろいろ考えてはいたんですけど、その頃は誰にも言わなかった、というか、そもそも言えるほどの言葉にもなってないから言うことができなかったんですけど、中学生の頃はそういう問題を話し合える人たちがいまして。

山下　クラスメイトに？

永井　クラスメイトにもいましたし、先生にも。最近亡くなった香山芳久先生という方なんですけど、彼はその頃は仏教徒でした。その頃仏教徒でいつも坐禅をしていたということ自体、あとから伺って知ったことですが。ところがそのあとなぜかキリスト教に変わって、最後にはカリタス女子短期大学の学長という、その筋の偉い人にまでなってしまわれたんです。でも、そのときは中学の先生で、科目としては数学の先生だったんですけどね。

彼は、僕らがいろいろ問題を出しても受け止めてくれて、まあ、哲学というようなものがあるということ自体を、じかに、なまで、教えてくれましたね。話が本筋から逸《そ》れるかもしれませんが、ちょっと面白い話で、しかも仏教にもちょっと関係があるので、させてもらうと、彼は数学の先生なのに「詩の会」という部活動を主宰されていたんです。部員はほんの五、六人で、名前に反して詩を読んだり詩を作ったりはほぼまったくしなくて、いつもなんかある種の哲学的な問題を議論するんですけど、歎異抄をテキストにしたことがあるんです。僕が中学二年生になったばっかりのときです。有名な「善人なおもって往生をとぐ……」ってところをいきなり持ってきて、こういうふうに親鸞は言っているけどどう思うか、と。どう思うかと言われてもね、まだ中学二年生になったばっかりの子どもたちにですよ。

彼は、自分は親鸞の言うことは正しいと思うと言って、なぜ正しいのかというと、まあ昔のことなので記憶は薄れているんですけど、言葉だけははっきり覚えていて、作為です。作為という言葉を使って、善人は作為的だと言いましたね。僕はその指摘にちょっとピンとくるところがあったんですね。そのとき彼は何か素晴らしいことを言ったとは思うけど、内容の意義はそんなによくはわからなかった。今でも、今度は記憶のほうが不鮮明になっているので、彼があのとき何を言おうとしたのかはよくはわかりません。

が、ともあれ、世の中の決まり事とはまったく違うことを、まったくそれに反することを、考えることができて、しかも、そういうことが重要なことなんだ、というメッセージを受け取りました。ああ、こういうことを考えてもいいんだ、こういう水準まで深く掘り進んでいいんだ、この世界には、そういうことを推奨する領域が存在しているんだ、ということです。

そういうこともあって、幸いにして、縦横無尽に勝手にいろんなことを考える翼を香山先生からもらった、と思っています。

伝統的懐疑論と〈私〉の問題

山下 そのまままっすぐに、その問題を考え続けようと思って大学の哲学科まで行かれたのですか？

永井 今度はちょっと、自分の問題のほうの中身の話をすると、夢かもしれないとかそういう話は、哲学的には懐疑論と言われるものですね。客観的世界と思われているものは実は実在しなくて、実は知覚があるだけなのではないか、というような話は、哲学の伝統の中に昔からあるわけですね。バークリーとかデカルトとか。

それが空間バージョンだとすると、その時間バージョンもあって、時間バージョンとはどういうものかといえば、記憶というものがあるだけで、本当は過去は実在しないんじゃないか、というような議論ですね。有名なバートランド・ラッセルの世界五分前創造説というのがありまして、世界は実は五分前にできたという説です。五分前に、自分が子どもの頃の記憶や江戸時代の文書や原始時代の証拠を持った形で、世界は生じた。本当はそうだったとしても、それを確かめたり、逆にそうじゃないと反証したりする方法はそもそもない、ありえないという議論です。そういうような主張というのは哲学の伝統の中にあるわけです。

それは伝統的にあってくれていて、僕はもう中高生のときから自分で本を読んで哲学をやっていましたから、そういうのはあるんだなと知って、それはなかなか嬉しかったんですけど、安心はしたんですけど、でも、本当はですね、僕が考えていたのは、そういうのとはちょっと違うということに、あるとき気づいたんです。それがいつだったのかあまりはっきりしないんですけど、たぶんもう大学生になっていただろうと思います。

渋谷の東急プラザの、当時はまだ二階にあった紀伊國屋書店の中を歩き回りながら、その問題を考え続けていた記憶が鮮明にあります。

どう違うかって言いますと、これはちょっと面白い話で、実は同じことだとも言えるんですよね、ただ全部逆になっているだけなんです。世界は全部私に見えている映像みたいなもので、本当は客観的世界というのはなくて、世界とは実は私に知覚されるものでしかない、というのがさっきの見方ですけど、これをすべて逆転させて考えることもできて、逆転させるとどうなるかというと、そんな変なことは考えないで、世界は普通にあると考える。みんなが言っている通り、客観的に。それで、私自身もその中にいる人間という動物の一人だ、と。地球という惑星があって、進化論に従って人間が生まれてきて、そのうちの一人が私なわけですね。そういうふうに考えた場合、それならたくさんいる人間たちのうちでこの人だけが私であるという特殊なあり方をしているのはいったいなぜか、この人だけ目から実際に世界が見えて殴られると実際に痛いという他の人と違うあり方をしているのはなぜなのか、ということが問題になる。なんで一人だけそんなやつがいるのか。そっちのほうが疑問に思えてくるんですね。一〇〇年前にはそんな変なやつはいなかったのに、今はいるこの特殊なやつはいったい何なのだ?

これはしかも、単に特殊だというだけではなくて、そいつがいなければ何もないのと同じことですよね。宇宙も地球もあって、人類の歴史も存在するでしょうけれど。この点において、これは、さっきの、世界は実は私が見ている夢ではないのか、という懐疑論の裏返しだということがわかります。実は夢じゃないのかとか、実は私の表象なのだとか、そういう考え方は、いま言った、そいつがいなければ何もないのと同じだ、というのと実は同じことを言っているわけです。そいつがいなければ何もないのと同じだということが、見方を変えれば、世界は私に現れる表象にすぎないということになりますから。哲学者が普通に問題にしているそういう議論と、僕がもともと持っていた問題は、すり合わせてみると、実は同じものなんだ、だけど逆の現れ方をしているんだ、ということに、あるとき気づいたんです。

しかし、表から見るか裏から見るかで、問題の本質が変わりますね。何が問題なのかが変わるんですよ。今度の問題はこうです。みんな脳もあって神経もあって同じ作りになっているわけで、こいつだけ特別なところなんて何もないのに、それなのになぜこいつだけ実際に目が見えて耳が聞こえて痛みや痒みを感じて……等々になっているのか。なんでこいつだけ他の人と違っているのか。

という問題なんだけど、この問いはそもそも客観的に立てることができない。だから、そもそも言葉で言うということに意味がない問いなんですよ。言ってみても、原理的に誰も賛成しませんから。「こいつだけが……」と言っても、「こいつ」の意味が伝わらないんですよ。私がそう言えば、「え？　永井さんだけが他の人と違うんですか？　そんな馬鹿な」と言われるか、または「おっしゃる通り、私だけは……」とみんなに賛同されてしまって、結局みんな同じであることになってしまうか、どちらかしかないでしょう。つまり、この問題は決して伝わらないのです。まさにそのことが問題なんですよ、今度は。問題の中心がそこに移るんですね。

ところが、哲学史の中には、このことを問題にしている人は誰もいなかったんですよ、私が勉強したときには。この問題と、この世界は実は私が知覚しているだけの表象かもしれないというような問題は、同じかどうかということを、哲学を始めてからずっと考えていて、それはもう大学で哲学を専攻しているときですから、そのことを哲学の先生に言ってみても、ほとんど意味を理解してもらえなかったんですよ、不思議なことに。中学生のときに香山先生や友達に言ったときのほうがむしろ話は通じて、どうも哲学の先生のほうが哲学的疑問があまり通じないというちょっと不思議な体験をしました。

それでですね、話が通じたと言うと変なんですけど、同じ問題を考えているという感触を持ったのは、ウィトゲンシュタインという哲学者が、前期と後期があるんですけど、その真ん中の時期に『青色本』という講義録があって、その中で僕がいま言った問題と同じ形の問題を出しているんですよ。その時期の草稿を読むと、その草稿にも同じような問題がたくさん論じられているんです。いま私がこの問題を説明するときに言っている言い方は、そこでウィトゲンシュタインが言っていることから影響を受けた説明の仕方になっています。とりわけ、そのことは言葉で言うことができない、というあの話は、彼の極めて独創的な哲学的洞察だと思います。

しかし、ウィトゲンシュタインを除くと、こっちの問題はあまり語られていないんですよ。このウィトゲンシュタインのようなとらえ方を経由してみれば、デカルトの有名な「われ思う、ゆえにわれあり」だってまさにこのことを問題にしていたのだ、と解釈することができますし、実際、実はそうだと思いますけど、そういう解釈もほとんど存在しません。

さっき世界五分前創造説の話をしましたよね。ああいう時間に関する問題についても、いま言ってきたのと同じことが言えるんですよ。つまり、この問題にも表と裏の二面性があるんですよ。外界なんてなくて本当は私の持つ表象があるだけなんじゃないか、という考えと同じで、過去や未来は本当はなくて、あるのは現在における記憶や予期だけなんじゃないか、という話だったわけですけど、新しい、ウィトゲンシュタインや私が考えたほうのバージョンでこれを作り直すと、過去や未来は本当はないんじゃないか、という問題ではなくて、どの時代も普通にあるんですけど、ただ、なぜかここだけが特別、ここだけが例外的な、極めて変なあり方をしている、ってことが問題になります。ここってつまり、今、現在のことですよ。たくさんの時点の中で、なんでここが現在なのか、そして、この現在とはそもそも何なのか、今であるとは何であることなのか、が問題になるわけです。

現在であるという特殊な性質を持った時点があるなんてこと、物理学者は認めませんよ。物理学者は、因果関係と合体した前後関係という意味での時間があるだけで、現在という例外的な時点があって、そこで時間が二つに分かれているという端的な事実の存在は認めないようですね。とはいえしかし、現在というものはありますよ。たとえそれがわれわれの側の錯覚だとしても、錯覚というものは実在するものですから、その存在理由が説明されなければならない。

ここでいう現在というのはこの現在だけで、三時間前にはその時点における現在があったし、一時間後にもその時点における現在があるでしょうけど、そういう一般的な現在のことではなくて、端的な現在のことです。一般的な現在のほうも、他人における「私」と同じで、大いに問題ではありますけど、それは後の問題にして、まずはこの端的な現在ですね、これはいったい何なのか、という問題があります。この今についての問題が私についての問題と同じ構造になっているということに気づいたのは、もう学生時代ではなくて、三〇過ぎてからのことですけど。

この形の問題のほうが、哲学界でも公認されているような懐疑論的な問題よりも、もともと僕の中には強くあったんですけど、こういうのってむしろ、哲学を学んだことで忘れてしまうってことがありうるんですよね。これはさっきの良道さんの話と似ていて、哲学の世界の常識というのがまたあるわけですよ。哲学者といえども、哲学の常識を学んだ人なんですよね。どんなものもそうなんですけどね。だから、まったく独自に哲学をするというのは難しいんですよ。哲学というのは本来はそれをすることなんですけどね。

これは頭がいいとかそういう問題ではないんですよ。パワーの問題なんですよ。疑問に思う力が強くないと駄目なんです。だって哲学の伝統というのはものすごく分厚くありますから、それに押しつぶされちゃって、ああ、これだったな、と思っちゃうんですよね。そうだ、これが僕の問題だった、と思わされちゃうんですよ。僕の場合は、疑問に思うパワーが強かったもんで、いやこれとはちょっと違うぞ、ということがずっとあって、それでもウィトゲンシュタインに出会えたおかげですね、これを人々に向かって言えるようになったのは。今では自信を持って、僕が問題にしていることのほうがずっと重要だ、というか本物の問題だ、と言えますけどね。

それで、哲学史に登場する外界の存在に対する懐疑論のようなものは、実は、その本物の問題をすでにみんなにバラ撒《ま》いて、誰にでも——あるいはどの時点についても——このことが言えますよ、となったあとで出てくる問題で、もう若干の妥協が入ってしまっているんですね。もっと根本的な問題は私が考えてきたほうなんだ、という確信に達したのはもう四〇代くらいになってからですね。

これを私以前に言ってくれている人は、私の知っている限りでは、中期のウィトゲンシュタインだけなんですけど。彼は前期と後期に二つ代表作を書いているんですが、どちらでもこの問題には触れていないんですね。前期の代表作『論理哲学論考』では、この問題については語りえないという形で、否定的に言及していますけどね。これについては、ウィトゲンシュタインの哲学の特殊な問題があって、公刊物の中では決して言わない問題があるんです。講義録とか遺稿とか、出版していないものの中だけで言う問題というのがあって、そっちで言っているんですね。なんで公《おおやけ》には言わないのかというのはウィトゲンシュタイン研究のほうの謎ですけど、少なくとも、前期の『論理哲学論考』の前の時期と、後期の『哲学探究』前の時期、この二つの時期にこの問題を問題にしてるんです。

で、まあ、幸いにして、支援者は今度はウィトゲンシュタインで、まあこういうのもね、誰もいないとちょっと不安になるんですね。私がいくら思っていても、同じことを言っている人が誰もいないとなると、一人で錯覚を起こしているんじゃないか、全然変なことを思っちゃってるんじゃないか、と思うものなんですけど、少なくとも一人、そう読み取れる、そう読んで間違いないと思える人が、しかも学界で公認されている偉い人の中にいるということから、非常に力を得ましたね。これも偶然ですけどね、中学生のときに香山先生に出会ったのと同じで。これは大学院に入ったときだったと思いますが、あるいは大学四年のときだったか、はっきりしませんが。

本当に世界は不思議な構造をしていて、あまり誰もこういうふうになってるぞって言ってない、変な、いびつなあり方をしている、っていうのが本当なんじゃないか、というふうに思い始めて、今も思っているわけです。今は間違いなくそうだと思っています。他の人は気づいてないだけだと思っています。なんだか、答えになったかよくわからないですけど……。

〔『サンガジャパン』Vol. 35、二〇二〇年五月、一八〇―一九三頁〕

山下良道（やました　りょうどう）

一九五六年生まれ。鎌倉一法庵住職。東京外国語大学仏語科卒業。大学卒業後、曹洞宗僧

侶となり一九八八年アメリカのヴァレー禅堂で布教、のち京都曹洞禅センター、渓声禅堂で坐禅指導。二〇〇一年ミャンマーで具足戒を受け比丘になる。二〇〇六年帰国後は、鎌倉一法庵を拠点に国内外で坐禅指導を行う。著書に『青空としてのわたし』(幻冬舎)、『本当の自分とつながる瞑想入門』(河出書房新社)、『「マインドフルネス×禅」であなたの雑念はすっきり消える』(集英社)、共著に『アップデートする仏教』(幻冬舎新書)、『〈仏教3・0〉を哲学する　バージョンⅡ』(春秋社)などがある。

岩波現代文庫版あとがき

二〇一四年の九月に日経プレミアシリーズの一冊として刊行されていた本書が、今回岩波現代文庫に入ることになった。もともと『日本経済新聞』に連載されたものであるとはいえ、経済新聞社の新書判よりも伝統ある出版社の文庫判のほうがふさわしい内容であることは確かなので、これは喜ばしいことだと思う。原本の成立の経緯については、日経プレミアシリーズ版の「まえがき」と「あとがき」にくわしく書かれている。とくにその「あとがき」には重要なことが書かれているので、本文を読まれた(読まれる)方にはそこを読み飛ばさないようにお願いしたい。その最後にある「友人」とは、この問題の存在を感知した方々という意味である。

この文庫版には、新しく山下良道氏との対談(の一部)が併載されることになった。哲おじさんと学くんの二人はどちらも私自身なのではあるが(今回の表紙の二人の顔の絵には暗にそのことが表現されている)、もちろん実際の私の子ども時代のことが書かれているわけではない。そのいわば実話的な側面を補うために、この対談のこの部分が活用されることになったわけである(この対談全体は雑誌『サンガジャパン』35号に掲載されたものだが、これはこれで仏教瞑想の哲学的根拠にかんしてこれまでになく深く突っ込んだ話し合いがなされており、これを含む私の複数の仏教関係の対談を纏めた本が近くサンガ出版から刊行される予定なので、その方面に興味をお持ちの方はぜひそちらもお読みいただきたい)。

対談のこの部分に関連して、対談時に言い忘れたことを、本書の内容全体とも関連することなので、この機会にひとつ補足しておきたい。

本書一八四頁以降に香山芳久先生と「詩の会」の話が出てくるが、そこでは歎異抄の悪人正機説のことだけが話題にされている。しかし、仏教との繋がりを離れて考えれば、本書の内容と直接的に関係するより強い影響を私に与えたのは、歎異抄より少し後の時期に取り上げられた、筒井俊隆(作家の筒井康隆氏の弟)の「消去」という短編SF小説であった。これは、現在から顧みれば、対談の中でも言及されている映画『マトリックス』とか、哲学的にはパトナム『理性・真理・歴史』の中の「水槽の中の脳」といった、同工異曲の発想の作品も多いものだが、私自身は中学二年生の時に香山先生によって朗読されたこの作品から、早期に甚大な影響を受けることになった。言ってみれば、私はこの話を文字通り真に受けたのである(私は現在でもSFというものをエンターテインメントとしてではなく、世界の現実に可能なあり方の描写として読んでいるけれど)。この影響についてはすでに拙著『翔太と猫のインサイトの夏休み』(ちくま学芸文庫)のあとがき(二六六―二六七頁)でも明言されているが、対談(本書一八六―一八七頁)でも語られている「客観的世界と思われているものは実は実在しなくて、……」といった懐疑論的な問題設定の原型を、私はこの作品から学んだのである。

本書一八八頁以降では、その問題の「逆転」ということが語られているが、実を言えば私の場合、この逆転した形の問題意識のほうを先に(すでに小学生の時から)持っており、それと後から与えられたこの懐疑論的問題設定との関係を、その後ずっと考え続けることになった。そしてもちろん、この『哲おじさんと学くん』もまた、その思索の成果の一つなのである。対談との関連で、この点をぜひ付け加えておきたいと思う。

二〇二〇年　一一月

永井　均

本書は二〇一四年九月、日本経済新聞社より日経プレミアシリーズの一冊として刊行された。岩波現代文庫への収録に際し、山下良道氏との対談(「自己曼画の「第五図」はなぜ一人だけなのか？——世界を初めて開く〈私〉について」『サンガジャパン』Vol. 35、二〇二〇年五月)の一部(一八〇—一九三頁)を抜粋し、新たに付した。

哲おじさんと学くん
―世の中では隠されているいちばん大切なことについて

2021年1月15日　第1刷発行
2023年6月15日　第2刷発行

著　者　永《なが》井《い》 均《ひとし》

発行者　坂本政謙

発行所　株式会社 岩波書店
〒101-8002 東京都千代田区一ツ橋2-5-5

案内 03-5210-4000　営業部 03-5210-4111
https://www.iwanami.co.jp/

印刷・精興社　製本・中永製本

ISBN 978-4-00-600428-6　　Printed in Japan

岩波現代文庫創刊二〇年に際して

二一世紀が始まってからすでに二〇年が経とうとしています。この間のグローバル化の急激な進行は世界のあり方を大きく変えました。世界規模で経済や情報の結びつきが強まるとともに、国境を越えた人の移動は日常の光景となり、今やどこに住んでいても、私たちの暮らしは世界中の様々な出来事と無関係ではいられません。しかし、グローバル化の中で否応なくもたらされる「他者」との出会いや交流は、新たな文化や価値観だけではなく、摩擦や衝突、そしてしばしば憎悪までをも生み出しています。グローバル化にともなう副作用は、その恩恵を遥かにこえていると言わざるを得ません。

今私たちに求められているのは、国内、国外にかかわらず、異なる歴史や経験、文化を持つ「他者」と向き合い、よりよい関係を結び直してゆくための想像力、構想力ではないでしょうか。

新世紀の到来を目前にした二〇〇〇年一月に創刊された岩波現代文庫は、この二〇年を通して、哲学や歴史、経済、自然科学から、小説やエッセイ、ルポルタージュにいたるまで幅広いジャンルの書目を刊行してきました。一〇〇〇点を超える書目には、人類が直面してきた様々な課題と、試行錯誤の営みが刻まれています。読書を通した過去の「他者」との出会いから得られる知識や経験は、私たちがよりよい社会を作り上げてゆくために大きな示唆を与えてくれるはずです。

一冊の本が世界を変える大きな力を持つことを信じ、岩波現代文庫はこれからもさらなるラインナップの充実をめざしてゆきます。

（二〇二〇年一月）

岩波現代文庫[学術]

G409
普遍の再生
―リベラリズムの現代世界論―
井上達夫

平和・人権などの普遍的原理は、米国の自国中心主義や欧州の排他的ナショナリズムにより、いまや危機に瀕している。ラディカルなリベラリズムの立場から普遍再生の道を説く。

G410
人権としての教育
堀尾輝久

『人権としての教育』(一九九一年)に「「国民の教育権と教育の自由」論再考」と「憲法と新・旧教育基本法」を追補。その理論の新しさを提示する。〈解説〉世取山洋介

G411
増補版 民衆の教育経験
―戦前・戦中の子どもたち―
大門正克

子どもが教育を受容してゆく過程を、国民国家による統合と、民衆による捉え返しとの間の反復関係(教育経験)として捉え直す。〈解説〉安田常雄・沢山美果子

G412
「鎖国」を見直す
荒野泰典

江戸時代の日本は「鎖国」ではなく「四つの口」で世界につながり、開かれていた――「海禁・華夷秩序」論のエッセンスをまとめる。

G413
哲学の起源
柄谷行人

アテネの直接民主制は、古代イオニアのイソノミア(無支配)再建の企てであった。社会構成体の歴史を刷新する野心的試み。

岩波現代文庫［学術］

G414
『キング』の時代
—国民大衆雑誌の公共性—
佐藤卓己

伝説的雑誌『キング』——この国民大衆誌を分析し、「雑誌王」と「講談社文化」が果たした役割を解き明かした雄編がついに文庫化。〈解説〉與那覇 潤

G415
近代家族の成立と終焉 新版
上野千鶴子

ファミリィ・アイデンティティの視点から家族の現実を浮き彫りにし、家族が家族であるための条件を追究した名著、待望の文庫化。「戦後批評の正嫡 江藤淳」他を新たに収録。

G416
兵士たちの戦後史
—戦後日本社会を支えた人びと—
吉田 裕

戦友会に集う者、黙して往時を語らない者……戦後日本の政治文化を支えた人びとの意識のありようを「兵士たちの戦後」の中にさぐる。〈解説〉大串潤児

G417
貨幣システムの世界史
黒田明伸

貨幣の価値は一定であるという我々の常識に反する、貨幣の価値が多元的であるという事例は、歴史上、事欠かない。謎に満ちた貨幣現象を根本から問い直す。

G418
公正としての正義 再説
ジョン・ロールズ
エリン・ケリー編
田中成明
亀本 洋訳
平井亮輔

『正義論』で有名な著者が自らの理論的到達点を、批判にも応えつつ簡潔に示した好著。文庫版には「訳者解説」を付す。

岩波現代文庫［学術］

G419
新編 つぶやきの政治思想
李 静和
秘められた悲しみにまなざしを向け、声にならないつぶやきに耳を澄ます。記憶と忘却、証言と沈黙、ともに生きることをめぐるエッセイ集。鵜飼哲・金石範・崎山多美の応答も。

G420-421
ロールズ 政治哲学史講義（I・II）
ジョン・ロールズ
サミュエル・フリーマン編
齋藤純一ほか訳
ロールズがハーバードで行ってきた「近代政治哲学」講座の講義録。リベラリズムの伝統をつくった八人の理論家について論じる。

G422
企業中心社会を超えて
―現代日本を〈ジェンダー〉で読む―
大沢真理
長時間労働、過労死、福祉の貧困……。大企業中心の社会が作り出す歪みと痛みをジェンダーの視点から捉え直した先駆的著作。

G423
増補「戦争経験」の戦後史
―語られた体験／証言／記憶―
成田龍一
社会状況に応じて変容してゆく戦争についての語り。その変遷を通して、戦後日本社会の特質を浮き彫りにする。〈解説〉平野啓一郎

G424
定本 酒呑童子の誕生
―もうひとつの日本文化―
髙橋昌明
酒呑童子は都に疫病をはやらすケガレた疫鬼だった――緻密な考証と大胆な推論によって物語の成り立ちを解き明かす。〈解説〉永井路子

2023. 5

岩波現代文庫［学術］

G425
岡本太郎の見た日本
赤坂憲雄

東北、沖縄、そして韓国へ。旅する太郎が見出した日本とは。その道行きを鮮やかに読み解き、思想家としての本質に迫る。

G426
政治と複数性
―民主的な公共性にむけて―
齋藤純一

「余計者」を見棄てようとする脱-実在化の暴力に抗し、一人ひとりの現われを保障する。開かれた社会統合の可能性を探究する書。

G427
増補 エル・チチョンの怒り
―メキシコ近代とインディオの村―
清水透

メキシコ南端のインディオの村に生きる人びとにとって、国家とは、近代とは何だったのか。近現代メキシコの激動をマヤの末裔たちの視点に寄り添いながら描き出す。

G428
哲おじさんと学くん
―世の中では隠されているいちばん大切なことについて―
永井均

自分は今、なぜこの世に存在しているのか？友だちや先生にわかってもらえない学くんの疑問に哲おじさんが答え、哲学的議論へと発展していく、対話形式の哲学入門。

G429
マインド・タイム
―脳と意識の時間―
ベンジャミン・リベット
下條信輔
安納令奈 訳

実験に裏づけられた驚愕の発見を提示し、脳と心や意識をめぐる深い洞察を展開する。脳神経科学の歴史に残る研究をまとめた一冊。〈解説〉下條信輔

2023.5